1955—1975 全国中医献方类编

第二辑 消化系统疾病秘验方

胃病

李占东 主编

學苑出版社

图书在版编目(CIP)数据

胃病:1955—1975 全国中医献方类编/李占东主编.
北京:学苑出版社,2019.7
ISBN 978-7-5077-5749-1

Ⅰ.①胃… Ⅱ.①李… Ⅲ.①胃疾病-验方-汇编
Ⅳ.①R289.51

中国版本图书馆 CIP 数据核字(2019)第 126101 号

责任编辑: 付国英
出版发行: 学苑出版社
社　　址: 北京市丰台区南方庄 2 号院 1 号楼
邮政编码: 100079
网　　址: www.book001.com
电子信箱: xueyuanpress@163.com
电　　话: 010-67603091(总编室)、010-67601101(销售部)
经　　销: 新华书店
印 刷 厂: 北京市京宇印刷厂
开本尺寸: 880×1230　1/32
印　　张: 7
字　　数: 195 千字
版　　次: 2019 年 7 月第 1 版
印　　次: 2019 年 7 月第 1 次印刷
定　　价: 46.00 元

1955—1975 全国中医献方类编

编委名单

主　编　李占东

副主编　郑　智　张　喆

编　委　（按姓氏笔画排序）

王淑华　王颖辉　冯　烨

杨凤英　杨金利　杨殿啟

李　军　岳红霞　徐秀兰

董群弟　傅开龙

前　言

随着人们对自身健康的愈加关注，了解、学习中医和中药已蔚然成风。尤其是那些经受住了临床验证而流传沿用至今的单方、验方、秘方，因其便于使用，能花小钱治大病，而深受读者、尤其是非医药专业的普通大众的喜爱。

一直以来，中医医家和学者均有将家传或收集的单方、验方、秘方刊刻出版的传统。据统计，历代方书中占绝大多数的都是单方、验方和秘方类，充分说明了这一类药方有确切的疗效和长久的生命力。

众所周知，受传统思想影响，许多中医都抱着“有子传子，无子传贤；无子无贤，抱卷长眠”的思想，验方秘方概不轻易外传。但在20世纪50到70年代，在政府的主导和动员下，搞过多次颇有成效的全国献方运动，许多老中医不仅公开交流了他们历年积累的医学经验，还纷纷献出了自己压箱底的治病药方。

如，四川省郫县70多岁的老中医钟载阳献出祖传治疗腹水的秘方，河北承德民间医生盛子章献出治疗梅毒的秘方，四川省江津市中医邱文正献出“跳骨丹”方，江苏省南通中医院的陈照献出治瘰疬方，河北省石家庄市中医献出治疗乙脑的秘方，江苏省南通季德胜献出季家六代祖传的蛇虫毒秘方，贵州省挖掘出著名的卢老太太治疗慢性肾炎的秘方，江苏省第二康复医院杨雨辰医师献出家传三代的验方四册，等等。

这些献方均由各省组织专家进行审核编纂，保留有确切疗效的，剔除有毒有害的，最终集结成书。遗憾的是，这些书很多后来一直没有再版，市场上也鲜有流传，导致昔日瑰宝被尘封多年。

为了使这一时期的珍贵药方不被丢弃泯灭，我们多方搜集1955—1975年间编纂的献方共96册。因为当时的献方运动是按照地区来开展进行，所以这些书也都是按照地区来编的，如河北省验方，山西省验方等。这样以地域为纲的编法，不便于现代人的阅读查用。所以，我们又把书中的献方顺序全部打乱，并按照常见疾病如胃病、哮喘等，重新编排成册，以更切合当今读者需求。

本着“有则多，无则少”的原则，本次整理出的这套丛书分为十辑，共39本。第一辑：呼吸系统常见疾病，共三本。第二辑：消化系统常见疾病，共六本。第三辑：泌尿系统常见疾病，共两本。第四辑：妇科常见病，共7本。第五辑：儿科常见病，共三本。第六辑：心脑血管常见疾病，共两本。第七辑：内分泌系统常见疾病，共两本。第八辑，其他常见病，共六本。第九辑：外科骨伤病，共三本。第十辑：五官科疾病，共四本。统一称为《1955—1975全国中医献方类编》。

与市场上流行的很多药方出处不明也不知是否有效的方书不同，本套丛书最大特色就是献方的真实性，以及疗效的确切性。

之所以能这么肯定，还要从那场轰轰烈烈的全国献方运动说起。毫无疑问，那是一次全国范围内自上而下，深受当时政府重视的的中医运动。

1941年9月，陕甘宁边区国医研究会召开第二次代表会议，与会中医献出治疗夜盲症、腹痛、心痛、花柳等病的祖传秘方十余种，这是中国共产党领导的中医工作中第一次公开献方，意在打破传统中医的保守风气，使验方、秘方能广泛传播，为民所用，并借此提高中医政治地位。

此后，边区组织各地召开医药研究会和医药座谈会，发现了很多模范医生，也公开了很多秘方。

1944年，既是中医业者，又素为毛泽东所推重的陕甘宁边区政府副主席李鼎铭再次号召中医者公开各自的秘方。

1955年3月召开的全国卫生科学研究委员会第一届第四次会议强调："……对中医中药知识和中医临床经验进行整理和研究，搜集和整理中医中药书籍（包括民间验方、单方），使它提高到现代的科学水平，是我们医学科学研究工作者的光荣任务。"从而明确指出要对献方进行整理研究并集结出版，全国各地均积极响应号召。

较早开展此项工作的是江苏省徐州市卫生局。1954年10月，徐州市卫生局聘请了9名经验丰富的中医对该地区所献验方进行甄审，并将这些验方分为三类：第一类是用于治疗常见病，且临床已证实有效；第二类是用于治疗常见病，临床上认为使用有效而尚未经科学证实者；第三类是治少见病或有离奇药，临床疗效不显著者。经过层层筛选，最后，仅从第一、二类验方中选出了18个确有实效的进行推广。

同样的，为确证献方疗效，杭州市卫生局组织中西医生进行共同讨论和分析；南通市则召开“中医验方试用座谈会”，由中医师介绍验方试用情况并进行讨论。

虽然全国各地对验方进行筛选的具体做法不尽相同，但都是稳妥而令人信服的。

1955年，江苏、福建两省出版了中医验方集。1956年，山西、江苏、河北、辽宁、黑龙江、福建6省相继出版了中医验方集；1957年，云南、四川、河南、广东、山东、陕西6省及西安市出版了中医验方集，河北、山西、黑龙江等省则出版了验方续集；1958年，广西、吉林、安徽、贵州、青海等省和重庆市、武汉市也组织出版了验方集，江苏、河南两省则出版了验方续集。

这些验方集出版后，都深受读者好评，一版再版。

1958年10月11日，毛泽东主席指出：“中国医药学是一个伟大的宝库，应当努力发掘，加以提高。”于是，采集单方、验方、秘方之举由面向中医从业者迅速扩大为全国范围内的群众运动。可以说，此时的献方运动已经带有了强烈的政治色彩，各地“先后编出了数以百计的中医验方集”，献方数量之庞大令人震撼，但内容良莠不齐的情况也开始出现。

值得一提的是，由浙江中医研究所实验确证“蝌蚪避孕单方”无效的报道于1958年4月发表于《人民日报》，该报还在《编后》中告诫：“民间单方在经过科学分析、实验和研究鉴定后再进行推广，才能对人民健康有所保证！”

同年11月，《人民日报》社论要求，“必须组织人力把这些民间药方分门别类地加以整理，并进行研究和鉴定”。说明当时已注意到，不经过细致的研究整理和验证就大事推广，是不妥当的。必须本着认真负责的态度，进行去粗取精和去伪存真的工作。

之后很长的时间里，全国各地整理出版的献方集基本遵循此原则，对药方的可靠性和有效性进行把关，不再一味追求多和全。如江西省中医药研究所整理出版的《锦方实验录》仅“精选了附有治验的255方”。

单方、验方、秘方既然多年来不断传承并在民间得以运用，必然有其独特的治疗价值，我们理应重视并将其传承推广下去。所以本套丛书按照常见疾病对献方进行分类归纳，相较当时对药方按照地域划分的方式，明显现在的编排更方便读者查找使用。

本着对献方者的尊重，方中的计量单位仍保留原样（多为钱、两），不予以修改。

中医“法可定，方无穷”，尽信方不如无方，故读者在查询使用时尽量能咨询相关专家，辨证论治与专病专方相结合。当然在本套丛书的编纂过程中，我们将含有毒性药物、国家现已明确规定不能使用药物的药方，以及带有明显迷信色彩的药方均一一进行剔除，希望能尽量保证本套书中献方的安全性和有效性，也希望这些目前看来仍不为大众熟知的单方、验方、秘方能早日为人民健康作出应有的贡献。

本套丛书从开始四处搜集资料到终于成书面世，历时近十年！原始资料的搜集、翻拍，对大量资料内容的进一步甄别、整理，每一册书中所收录验方的删选、归类，药物剂量的逐一核实，都花费了大量的时间和人力。在此，还要特别感谢提供资料的刘小军，不厌其烦整理内容、调整版式的郑杰，以及在成书过程中给予很多建议和方案的学苑出版社陈辉社长，感谢他们多年以来的支持和付出！

最后，希望这套颇具特色的验方系列丛书，能发挥出它们独特的治疗价值，并能得到应有的重视和广泛的传播！

学苑出版社　付国英

2019 年 6 月 11 日

目　录

一、胃痛

胃痛，又称胃脘痛，是指上腹胃脘部近心窝处出现的疼痛。中医认为，胃痛多由外感寒邪、饮食所伤、情志不畅和脾胃虚弱等病因导致。

除了胃本身的疾病可以引起胃痛外，肝脾失调也可导致。所以，治疗胃痛以理气和胃为主，需兼顾调理脾胃。

【主治】 胃寒作痛。
【方药】 生姜（烧存性）一两
【制法】 研末。
【用法】 内服，白开水送，一次服下。
【出处】 武邑县于金彪（《十万金方》第一辑）。

【主治】 胃痛。
【方药】 桂花根一节（约三寸长）
【用法】 纳入猪心并加些食盐，用酒和开水炖服。
【出处】 建瓯县方兆元（《福建省中医验方》第三集）。

【主治】 胃痛。
【方药】 芦荟草

【用法】 去外皮并切碎，用白糖拌后吞下。每次服一小杯。

【提示】 虚寒者忌用。

【出处】 莆田县吴长庚（《福建省中医验方》第三集）。

【主治】 胃痛。

【方药】 生山楂四两

【用法】 水煎服。

【提示】 本方可治因食肉类引起食积的胃病。

【出处】 漳州市林可欲（《福建省中医验方》第三集）。

【主治】 胃痛。

【方药】 柳树寄生约三钱

【用法】 用老酒炖服。

【出处】 顺昌县林有我（《福建省中医验方》第三集）。

【主治】 胃痛。

【方药】 椿芽根三两

【用法】 用雄鸡一只约二斤重，去其腹杂，纳药于腹中，清水炖服之。服三至四只，可断根不痛。

【出处】 南平市中医院陈义勇（《福建省中医验方》第四集）。

【主治】 胃脘气痛、气胀、泛酸。

【方药】 皂角寸半

【用法】 放碗内烧烟盖好，另用橘皮三钱、生百合一枚煎汤，对在皂角（不要揭开碗盖）服之。

【出处】 桂东县中医龙能治（《湖南省中医单方验方》第一辑）。

【主治】 胃痛。

【方药】 鸡脚莲（用根，去毛）约一两

【用法】 蒸鸡或猪肉吃。

【提示】 鸡脚莲生于石上，叶像猪毛腿，根像鸡脚爪，又名一副排、石毛腿）

【出处】 新田县中医眭道发（《湖南省中医单方验方》第二辑）。

【主治】 胃脘痛。

【方药】 ①龙须草蔸（捣烂）五个

②野茄子树蔸三个

【用法】 ①开水冲服。②煎服。

【出处】 泸溪县长坪杨典达医生（《湖南省中医单方验方》第二辑）。

【主治】 一切胃气痛。

【方药】 苦薤一两

【用法】 加水煮熟，和面食。

【提示】 苦薤，中药名薤白，除能治胃气痛外，若用鲜者一斤装入猪肚内炖食，还能治一切胃病及痰湿病。若用十余枚剁细，鸡蛋煎食，能治胸腹痞胀，或胃脘停痰，蓄水等症。

【出处】 重庆市第一中医院（《四川省中医秘方验方》）。

【主治】 心胃气痛（远久性）。

【方药】 娑罗子三至五枚

【制法及用法】 在阴阳瓦上焙焦研细末，温米酒冲服。每次约服五分，日进三次。若因虫痛，可使虫从大便出而除根（但药宜单用，不可和他药同服）。

【禁忌】 忌食生冷荤腻。

【出处】 新建卫协分会（《江西省中医验方秘方集》第三集）。

【主治】 胃痛（胃痛、吐酸）。

【方药】 鸡蛋壳（烧灰存性）

【用法】 研细末，内服；每服三四分，用开水冲服。

【提示】 本方治吐酸收效快。

【出处】 江西赣县（《中医名方汇编》）。

【主治】 心胃气痛、绞痛难忍。

【方药】 胖血藤一钱

【制法】 用温酒浸泡一天。

【用法】 内服酒浸液。

【提示】 此单方系贵阳黄姓数辈祖传，后传给王治平医师。经编者试用多次，止胃绞痛效力显著。

【出处】 王治平（《贵州民间方药集》增订本）。

【主治】 胃痛呕吐。
【方药】 走马胎（香樟树根）五钱
【制法】 煎汤。
【用法】 一剂分两次服用。
【出处】 侯银昌（《贵州民间方药集》增订本）。

【主治】 胃痛，吐酸水、吐清口水。
【方药】 苦檀子
【制法】 焙干为末。
【用法】 一次服二分至五分，开水吞服。
【出处】 陈芳国（《贵州民间方药集》增订本）。

【主治】 心气痛、胃气痛、腹绞痛。
【方药】 穿心莲二钱
【制法】 研成细末。
【用法】 用烧酒一次吞服。
【出处】 民间流行（《贵州民间方药集》增订本）。

【主治】 胃痛。
【方药】 荞麦粉五钱
【制法】 开水冲服。
【出处】 孝感专署（《湖北验方集锦》第一集）。

【主治】 心胃气痛。
【方药】 冬瓜仁二两
【制法】 水煎。

【用法】 每日一剂，连服三日。

【出处】 孝感专署（《湖北验方集锦》第一集）。

【主治】 胃痛。

【方药】 甘草二两

【制法】 水煎。

【用法】 一日三次，连服数天。

【出处】 孝感专署（《湖北验方集锦》第一集）。

【主治】 九种心胃痛病。

【方药】 瓦楞子（烧存性，醋淬三次）五钱

【用法】 上药研末吞服，每次一钱。

【提示】 瓦楞子有温中消食的作用，对胃痛呕吐酸水者甚良。

【出处】 江山县姜承贵（《浙江中医秘方验方集》第一辑）。

【主治】 胃痛。

【方药】 老松香三钱

【用法】 研末，热开水送吞。

【提示】 如脐下疼痛，服之无效。松香对因气郁而痛者有效，三钱用量可分次吞服。

【出处】 杭州市韦文贵（《浙江中医秘方验方集》第一辑）。

【主治】 胃痛消化不良。

【方药】 广砂仁一两

【制法】 和鲜姜一两、大枣五钱同煮，去姜枣不用，把砂仁晒干，为末，每服五分，重者一钱。

【用法】 日服三次，白水送下。

【出处】 峰峰易文明（《十万金方》第十二辑）。

【主治】 胃气痛。

【方药】 沉香末

【用法】 好的一分（茄沉），次的三分（盔沉），取沉香末一分。火酒调服，日服两次，四小时服一次。

【出处】 傅瑞珍（《崇仁县中医座谈录》第一辑）。

【主治】 胃痛（胃酸过多）。

【方药】 食盐二钱

【用法】 取食盐二钱，放锅内炒干，取起待冷，开水调服。

【出处】 廖祯基（《崇仁县中医座谈录》第一辑）。

【主治】 胃痛。

【方药】 夏枯草一两

【用法】 水煎服。

【加减】 体虚者，加精肉四两。

【提示】 本方适用于肝火胃痛。

【出处】 江西瑞金（《中医名方汇编》）。

【主治】 胃脘痛。

【方药】 马兰花籽

【用法】 连皮带籽共阴干，为细面，用黄酒或白酒二盅冲服，药一钱即效。

【出处】 安国县焦庄乡王林祥（《祁州中医验方集锦》第一辑）。

【主治】 胃部剧痛，诸药不效者。

【方药】 牙皂（烧存性）

【制法】 碾面，调白酒。

【用法】 每次服一钱。

【出处】 曾禄高（《中医采风录》第一集）。

【主治】 胃痛，经久服药不效者。

【方药】 海参肠一钱

【制法】 用瓦焙干碾细。

【用法】 白开水吞下。

【出处】 曾禄高（《中医采风录》第一集）。

【主治】 胃疼呕吐。

【方药】 小麦麸子（用醋炒）一斤

【用法】 用布包住，利用其热气腾胃部（什么地方疼就腾什么地方）。

【出处】 峰峰矿区马学华（《十万金方》第十二辑）。

【主治】 寒性胃疼。

【方药】 白古月七粒

【用法】 研为细面，用烧酒烧开，将白古月放在酒杯内，使酒热冲之，连饮三次。

【出处】 安国淤村康金华（《祁州中医验方集锦》第一辑）。

【主治】 胃神经痛。

【方药】 熊胆

【用法】 研末，每服三分，四小时服一次，一日三次。

【出处】 西宁中医院马海如（《中医验方汇编》）。

【主治】 胃痛。

【方药】 沙树浆

【制法】 为末。

【用法】 兑白酒热服。

【出处】 辛克勋（《中医采风录》第一集）。

【主治】 胃疼。

【方药】 狼毒一钱　吴萸一钱　巴豆霜一钱　香附三钱

【制法】 共为细末，蜜丸，梧桐子大。

【用法】 病轻者服一丸，重者三丸，一日一次。

【禁忌】 老弱、小孩、孕妇忌服。

【出处】 平山县王瑞堂（《十万金方》第一辑）。

【主治】　胃脘痛。

【方药】　花椒一钱　麻油一两

【用法】　把麻油放锅内炼开，下入花椒，炸至出烟为度，去花椒，将油喝下。

【出处】　赤城县张然（《十万金方》第一辑）。

【主治】　胃寒，胃脘痛，受寒则剧。

【方药】　香附二钱　良姜四钱

【用法】　水煎服。

【出处】　宁晋县刘喜勤（《十万金方》第六辑）。

【主治】　血瘀心痛，胃痛，及产后腹痛。

【方名】　失笑散

【方药】　蒲黄五钱　五灵脂三钱

【制法】　蒲黄微炒，五灵脂炒焦，共为细末。

【用法】　病在初期共为一次服，病在中期也需要一次服完，病在末期可分为二次服完，皆用元酒调服。

【出处】　滦县刘继恩（《十万金方》第十二辑）。

【主治】　心脾冷痛。

【方名】　二姜丸

【方药】　干姜　炮姜各等分

【制法】　共为细末，以面糊为丸，如梧桐子大。

【用法】　每次服二十至三十丸，温开水送下。

【出处】　保定市李国培（《十万金方》第十二辑）。

【主治】 胃痛。

【方药】 好肉桂二钱　荔枝核二钱

【制法】 汤剂水煎，为末亦可。

【用法】 水煎，白水送下。

【出处】 丰宁县孙景方（《十万金方》第十二辑）。

【主治】 胃疼及腹部疼痛。

【方名】 天台乌药散。

【方药】 生百合一两　乌药三钱

【用法】 水煎，空心服。

【出处】 安国县邢国杰（《十万金方》第十二辑）。

【主治】 胃疼痛。

【方药】 去核大枣八个　白古月十粒

【用法】 共捣为泥，白开水冲服，微汗。

【出处】 安国县南张村解卿云（《祁州中医验方集锦》第一辑）。

【主治】 胃痛。

【方药】 制香附　高良姜各等量

【用法】 每服二钱。

【提示】 将二药用酒醋各炒一次，研细末，备用。

【出处】 建阳县朱濂溪（《福建省中医验方》第四集）。

【主治】 胃气痛。

【方药】 蛤蜊二两

【制法】 煅黄为末。

【用法】 红糖引冲服，成人每服四钱，按年龄酌减。

【出处】 李瑞荣（《河南省中医秘方验方汇编》）。

【主治】 胃气痛。

【方药】 古月三钱　绿豆一把

【制法】 研末油面蜜为丸，如桐子大。

【用法】 每服一丸，每日三次，开水送下。

【出处】 张玉书（《河南省中医秘方验方汇编》）。

【主治】 胃气寒滞疼痛。

【方药】 大枣肉七个　胡椒四十九个

【制法】 每个枣内装入七个胡椒，捣烂为丸，如黄豆大。

【用法】 男用酒服，女用醋服。

【出处】 李运才（《河南省中医秘方验方汇编》）。

【主治】 胃疼。

【方药】 大蝎（野生者）一个　白兰地酒一小瓶

【制法】 将蝎放酒中泅溺死，浸之待用。

【用法】 疼时服一小茶杯，不可过多。

【出处】 李济川（《河南省中医秘方验方汇编》）。

【主治】 胃部沉痛，呕吐酸水。

【方药】 黄连一钱半　附子三钱

【制法】 水煎。

【用法】 内服。

【提示】 本方有剧毒药，经中医诊断许可后方可应用，以免中毒。

【出处】 洛专王志纯（《河南省中医秘方验方汇编》续一）。

【主治】 胃气冷痛。

【方药】 香附（醋洗七次）一两　良姜（醋洗七次）一两

【制法】 共研极细末。

【用法】 每服三钱，每日二次，开水送下。

【出处】 濮阳李玉海（《河南省中医秘方验方汇编》续一）。

【主治】 胃气冷痛，时发时愈。

【方药】 胡椒七粒　全虫（去头足及尾尖）一个

【制法】 共研细末。

【用法】 一次开水送服。

【出处】 南乐县李蕃（《河南省中医秘方验方汇编》续一）。

【主治】 胃气痛。

【方药】 百合一两　乌药三钱

【制法】 水煎。

【用法】 内服，特效。

【出处】 商专张如山（《河南省中医秘方验方汇编》续二）。

【主治】 胃气痛。

【方药】 好白馍一个 好醋四两

【制法】 将馍剥去皮，切小块，用醋炒。

【用法】 吃馍即愈；另用鸡屎炒热，布包熨痛处，立止。

【出处】 商专于超然（《河南省中医秘方验方汇编》续二）。

【主治】 胃脘气痛。

【方药】 白芷二钱 干刺柏叶尖子二钱

【用法】 水煎服。

【出处】 湘乡县中医（《湖南省中医单方验方》第一辑）。

【主治】 胃痛、嗳气欲呕、胸胃胀痛。

【方药】 鲜柑子叶一斤 食盐半斤

【用法】 先将柑子叶洗净，加水五斤，文火煮半点钟，滤去渣，再下同煮五分钟，每次服八至十毫升。

【出处】 治湖工地中医经验方（《湖南省中医单方验方》第一辑）。

【主治】 热性胃痛。

【方药】 黄栀子七枚 生姜汁一匙

【用法】 黄栀子煎汤，兑生姜汁服。如复发加入玄明粉二钱。

【出处】 宁乡白马桥中医张石其（《湖南省中医单方验方》第二辑）。

【主治】 胃痛（胃脘作痛，呕酸吐水，不思饮食）。

【方药】 黑粉络姜一两　砂仁五钱

【用法】 研细末，每饭后服一钱，连续服七日除根。

【出处】 武乡郝印丰（《山西省中医验方秘方汇集》第三辑）。

【主治】 九种胃疼。

【方药】 九个胡椒三个枣，五个杏仁一处捣，黄酒滚热送入胃，诸般心疼一齐好。

【提示】 本方属于虚寒者有效，内热患者慎用。

【出处】 刘玉兰（《山西省中医验方秘方汇集》第三辑）。

【主治】 胃部绞痛（胃部疼痛，绵绵不止）。

【方药】 良姜　香附

【制法】 良姜酒浸七次，香附醋浸七次，各研细末。

【用法】 病因服寒冷食发者，用良姜二钱，香附一钱；因怒气发者，用良姜一钱，香附二钱；寒怒皆因者，两药各一钱，半米汁加生姜汁，食盐少许送下。每次三钱，日服三次。

【治验】 豆某某，40 岁。患胃病三年之久，屡治不验。患者习食生冷，惯与人生气，因寒气发胃痛，服上药即日见效；继服二月余，四年未胃痛。本方经治 27 人，均有奇效。

【出处】 沁源窦秦镜（《山西省中医验方秘方汇集》第三辑）。

【主治】 胃痛。

【方药】 淡菜二两　隔山撬二两

【用法】 用猪前蹄一对炖服，不放盐。

【出处】 永川县中医座谈会（《四川省医方采风录》第一辑）。

【主治】 慢性胃痛。

【方药】 砂仁三钱　鲜蒲公英一至二两

【制法】 水煎。

【用法】 内服，连服数剂。

【出处】 唐忠（《中医采风录》第一集）。

【主治】 胃痛。

【方药】 烧酒　白糖

【治验】 某患者偶发心下刺痛，四肢厥冷，因夜深无法用药。家中有好烧酒、白糖，当时以两物放碗内烧着，俟火息即乘热吃下，不到十分钟，患者安然而愈。

【出处】 新建卫协分会（《江西省中医验方秘方集》第三集）。

【主治】 胃口痛。

【方药】 白胡椒　上肉桂各五分

【制法】 共研为末。

【用法】 水煎服。

【提示】 白胡椒辛热，为散寒暖胃之良品；配以肉桂辛温，色赤入心，善解寒结，兼补心火，心火足则胃得其养，本方药味虽简，用以治胃寒气痛、脉右关沉紧者，极为对症。若因湿变热，因感风，因气郁，因瘀血，因胃中素有酒积、食积、痰积而触犯胃痛之症，又当随其症治以处方，本方全无效力。

【出处】 西安市中医学会会员崔秋坪（《中医验方秘方汇集》）。

【主治】 胃神经痛（女用）。

【方药】 香附　良姜各等分

【制法】 共研细末。

【用法】 每次二钱，淡醋汤冲服。

【出处】 西安市中医进修班刘伯一（《中医验方秘方汇集》）。

【主治】 胃痛（男用）。

【方药】 厚朴　良姜各等分

【制法】 共研细末。

【用法】 每次二钱，淡酒汤冲服。

【出处】 西安市中医进修班刘伯一（《中医验方秘方汇集》）。

【主治】 胃气痛，不食、心慌、食后胀痛。

【方药】 穿心莲五钱　渊头鸡三钱

【制法】 加水两小碗，煎汤一小碗。

【用法】 内服汤汁。

【出处】 马玉珍（《贵州民间方药集》增订本）。

【主治】 胃绞痛，吐酸水。
【方药】 水黄花根一钱 石菖蒲二钱
【制法】 蒸甜酒。
【用法】 一次服用。
【出处】 王少洲（《贵州民间方药集》增订本）。

【主治】 胃痛、臌胀。
【方药】 穿心莲一钱 广木香一钱
【制法】 各药研成细末混合。
【用法】 酒、水各半，吞服。
【出处】 张素珍（《贵州民间方药集》增订本）。

【主治】 胃痛呕吐。
【方药】 老虎姜五钱 芭蕉花二钱
【制法】 煮甜酒。
【用法】 内服。
【出处】 杨济中（《贵州民间方药集》增订本）。

【主治】 胃气胀疼痛。
【方药】 茨藜根一两 红糖一两
【制法】 加水两小碗，煎汤一小碗。
【用法】 内服。
【出处】 陈仲寅（《贵州民间方药集》增订本）。

【主治】 慢性胃脘痛。
【方药】 韭菜子（炒黄研粉末）半斤 红糖半斤

【制法】 韭菜子炒黄研末，与红糖合匀。

【用法】 一日三次，每次一汤匙，开水送服。

【出处】 孝感专署（《湖北验方集锦》第一集）。

【主治】 胃脘痛。

【方药】 香附二两　良姜六钱

【制法】 共研细。

【用法】 早晚开水冲服，各二钱。

【出处】 孝感专署（《湖北验方集锦》第一集）。

【主治】 寒气胃脘痛。

【方药】 苍术二两　吴萸二钱

【制法】 炒研末。

【用法】 每次用开水冲服二钱。

【出处】 孝感专署（《湖北验方集锦》第一集）。

【主治】 胃疼、腹痛、瘀血作痛。

【方药】 桃灵丹：桃仁五钱　五灵脂五钱

【用法】 微炒为末，面醋为丸，小豆粒大，每服二十丸，酒下。

【禁忌】 孕妇忌服。

【出处】 镇赉县（《吉林省中医验方秘方汇编》第三辑）。

【主治】 胃痛。

【方药】 荔枝核（微炒）八钱　广木香一两

【用法】 共为细末，每服一钱，白酒冲服。

【出处】 农安县刘国刚（《吉林省中医验方秘方汇编》第三辑）。

【主治】 胃脘痛。

【方药】 香白芷二钱 法半夏三钱

【用法】 上药煎服。

【提示】 白芷、半夏为辛燥之品，其因胃中饮邪而发痛者适用。

【出处】 江山县吴师扬（《浙江中医秘方验方集》第一辑）。

【主治】 肝胃气痛。

【方药】 台乌药三钱 赤芍六钱

【用法】 上药用豆腐渣洗后，放在饭罐内蒸过，再以水二碗煎至一碗，日一剂，连服三剂。

【出处】 景宁县金可方（《浙江中医秘方验方集》第一辑）。

【主治】 胃痛及胃酸过多。

【方药】 鲜鸡蛋壳（焙焦）八分半 五倍子一分半

【用法】 研末，胃痛时吞服三至五钱。

【提示】 五倍子一名文蛤。

【出处】 松阳县王子清（《浙江中医秘方验方集》第一辑）。

【主治】 胃痛。

【方药】 杨梅一斤　盐一酒盅

【用法】 将盐化水，浸杨梅一个月以上，每次吃杨梅六至七个。

【提示】 本方治胃酸缺乏症为宜，如胃痛而有呕泛酸水者，不适用。

【出处】 民间验方（《浙江中医秘方验方集》第一辑）。

【主治】 胃痛。

【方药】 精肉四两　白蜜一两

【用法】 加水煮透，只吃肉。

【提示】 本方适用于胃中虚的胃痛。

【出处】 余杭县验方（《浙江中医秘方验方集》第一辑）。

【主治】 胃痛。

【方药】 金橘饼三个　烧酒一两

【用法】 同置碗中，盖好，在饭锅上蒸熟，每晨服一次。

【提示】 本方治寒性胃痛适宜。

【出处】 余杭县验方（《浙江中医秘方验方集》第一辑）。

【主治】 妇女胃脘痛，心中烦乱。

【方药】 制香附四钱　高良姜二钱

【制法】 共研细末。

【用法】日服两次，每次二钱，白开水送下。

【治验】屡试有效，收功卓著。

【出处】康保县屯垦飞跃公社医院李孟道（《十万金方》第二辑）。

【主治】胃寒痛，吐酸水。

【方药】吴茱萸三钱　干姜一钱

【制法】水煎服。

【治验】三剂能好。

【出处】峰峰县吴天锡（《十万金方》第十二辑）。

【主治】胃脘痛，日久不愈。

【方药】陈石灰　苍术不拘数量

【制法】先用陈石灰煎水，再将苍术泡入石灰水内，泡七天，取出晒干，研为细末。

【用法】每次服二钱，一日三次。

【出处】新专张岑贵（《河南省中医秘方验方汇编》续二）。

【主治】胃脘痛。

【方药】蛇皮二尺（半条）　红糖一两

【用法】先将蛇皮烧灰研末，再用红糖开水化溶送下，一日服两次。

【出处】蔡贻三（《崇仁县中医座谈录》第一辑）。

【主治】 心胃气痛。

【方药】 核桃一粒 枣子一枚

【用法】 将上药用湿草纸包裹，放灰火内煨熟，取起去核，再用生姜三片，开水泡汁作一次服下，每日早晚各服一次。

【出处】 胡华远（《崇仁县中医座谈录》第一辑）。

【主治】 心胃气痛。

【方药】 金铃子三钱 元胡索二钱

【用法】 煎水两次，先后分服，每隔四小时服一次。

【出处】 李育桂（《崇仁县中医座谈录》第一辑）。

【主治】 胃痛。

【方药】 香附二钱 良姜二钱

【用法】 共为细末，白水送下。

【出处】 安国县郑章村医院安振芳（《祁州中医验方集锦》第一辑）。

【主治】 胃痛。

【方药】 绿豆二十一粒 胡椒一十四粒

【制法】 研面。

【用法】 白开水调服。

【出处】 曾禄高（《中医采风录》第一集）。

【主治】 胃痛，久治不愈者。

【方药】 夏枯草一斤 猪肉四两

【制法】 同煎成汤。

【用法】 频频代茶饮，连服数次，病深者渐瘥，浅者永不再发。

【出处】 曾禄高（《中医采风录》第一集）。

【主治】 胃痛，服药久不愈者。

【方药】 生鸡蛋壳（焙干）一个　佛手柑一钱

【制法】 蛋壳碾极细，佛手柑水煎调蛋壳末。

【用法】 内服。

【出处】 曾禄高（《中医采风录》第一集）。

【主治】 胃痛吐酸。

【方名】 左金丸

【方药】 川黄连六钱　吴萸一钱

【制法】 共为面，水为丸。

【用法】 每服三钱，一日两次。

【出处】 （《十万金方》第十二辑）。

【主治】 胃脘疼痛。

【方名】 栀蔻汤

【方药】 栀子（酒炒）一两　草豆蔻二钱

【用法】 水煎服。

【出处】 峰峰朱日峰（《十万金方》第十二辑）。

【主治】 胃疼。

【方药】 香附　姜黄各等分

【制法】 共为细末。

【用法】 每服一钱，日二服。

【出处】 安国县赵连奎（《十万金方》第十二辑）。

【主治】 胃热疼。

【方名】 长寿饮

【方药】 鲜马齿苋四两　海螵蛸（研面）二钱

【制法】 将鲜马齿苋绞汁。

【用法】 用马齿苋汁冲海螵蛸粉服，可连服二三剂而愈。

【出处】 唐山市王子玉（《十万金方》第十二辑）。

【主治】 胃口疼。

【方药】 川连一钱　广木香一钱

【用法】 共为细末，白开水送下。

【出处】 安国县庞各庄医院耿文光（《祁州中医验方集锦》第一辑）。

【主治】 胃口疼。

【方药】 萹蓄一两　醋半斤

【用法】 用醋煎服。

【出处】 安国县北板桥村苏国瑞（《祁州中医验方集锦》第一辑）。

【主治】 胃痛。

【方药】 良姜（酒炒）六钱　香附米（醋炒）六钱

【制法】 水煎。

【用法】 内服。

【出处】 王心一（《中医采风录》第一集）。

【主治】 胃绞痛。

【方药】 白虎丹：古石灰三两　醋搅飞罗面二两

【用法】 调匀为丸，如豆大，酒送下，三丸立止。

【出处】 青海石油职工医院刘天真（《中医验方汇编》）。

【主治】 胃口疼。

【方药】 百合一两　台乌药三钱

【用法】 水煎服。

【出处】 安国县石佛村门诊部赵国彦（《祁州中医验方集锦》第一辑）。

【主治】 胃口疼。

【方药】 海螵硝八钱　象贝母一钱半

【用法】 以上二味，研细面，每服一钱。

【出处】 安国县北都王景涛（《祁州中医验方集锦》第一辑）。

【主治】 胃寒疼。

【方药】 去核大枣八个　白古月十个

【用法】 共捣为泥，白开水冲服，微汗。

【治验】 治愈刘士明等数人。

【出处】 安国张村解卿云（《祁州中医验方集锦》第一辑）。

【主治】 胃神经痛。
【方药】 红艾叶一把 鸡蛋三个
【制法】 水煎去艾，取艾汁和鸡蛋。
【用法】 内服。
【出处】 李化成（《中医采风录》第一集）。

【主治】 胃痛。
【方药】 大蒜一斤 糯米一合
【制法】 煮稀饮。
【用法】 分煮分吃，一日四次，七日吃完。
【出处】 徐金山（《中医采风录》第一集）。

【主治】 胃气攻疼。
【方药】 广木香二钱 元胡（酒炒）二钱 五灵脂（醋炒）二钱
【用法】 水煎服。
【出处】 平山县李朋寿（《十万金方》第一辑）。

【主治】 因肝气横逆，气血阻滞，胃脘痛闷。
【方名】 丹砂饮
【方药】 丹参一两 砂仁三钱 檀香三钱
【制法】 水煎服。
【用法】 日服两次。

【出处】 涿县魏殿臣（《十万金方》第六辑）。

【主治】 胃痛，吐水，久治不效。

【方药】 海螵蛸一两　浙贝五钱　牡蛎一两

【制法】 共为细末。

【用法】 痛时服一次，或日服三次。每付一钱，白水送下。

【出处】 滦县康广义（《十万金方》第十二辑）。

【主治】 胃痛，因热者。

【方药】 当归　白芍各五钱　黑山栀三钱

【加减】 如胃口寒痛，去山栀，加肉桂一钱五。

【用法】 水煎服。

【出处】 峰峰市学习小组（《十万金方》第十二辑）。

【主治】 胃气疼。

【方药】 紫丹参一两　砂仁三钱　檀香二钱

【用法】 水煎，空腹早晚服。

【出处】 乐亭张佑之（《十万金方》第十二辑）。

【主治】 胃气疼。

【方药】 青木香一两　明雄二钱　白矾一钱

【制法】 共为细末。

【用法】 每服一钱，开水送下（量可酌减）。

【出处】 张新仲（《河南省中医秘方验方汇编》）。

【主治】 慢性胃气寒滞疼痛。
【方药】 川朴　元桂各二两　猪胃一个
【制法】 煮热，分数次食之。
【出处】 焦国昌（《河南省中医秘方验方汇编》）。

【主治】 胃寒疼。
【方药】 胡椒七个　丁香七个　大枣六个
【制法】 将药为末，装入枣内焙焦，再为细末。
【用法】 烧酒冲服。
【禁忌】 生冷与生气。
【出处】 王现图（《河南省中医秘方验方汇编》）。

【主治】 胃气痛。
【方药】 干姜五钱　甘草五钱　白芍五钱
【制法】 水煎，加红糖一两。
【用法】 内服。
【出处】 南乐县李蕃（《河南省中医秘方验方汇编》续一）。

【主治】 慢性胃气痛。
【方药】 活蝎子一个　片砂五分　生白面一钱
【制法】 共捣极细，水和为十五丸。
【用法】 每服三丸，每日三服，开水送下。
【禁忌】 生冷食物。
【出处】 内黄殷学林（《河南省中医秘方验方汇编》续一）。

【主治】 胃脘痛。

【方药】 乌梅一个　红枣二个　杏仁七粒（或加广皮、木香）

【制法】 乌梅、红枣去核，和杏仁捣极烂。

【用法】 男用酒、女用醋，调药内服。

【出处】 商专刘柏芬（《河南省中医秘方验方汇编》续二）。

【主治】 胃气痛。

【方药】 川楝子一两　元胡三钱　吴茱萸三钱

【制法】 水煎。

【用法】 内服。

【出处】 商专孙之君（《河南省中医秘方验方汇编》续二）。

【主治】 胃气痛。

【方药】 雄狗（全心肺）一挂　胡椒（为末）四两　独蒜一百个

【制法】 三味合一处，煮熟。

【用法】 随意食尽，愈后可不再发。

【出处】 确山李文堂（《河南省中医秘方验方汇编》续二）。

【主治】 胃脘痛彻胸背。

【方药】 丝瓜络五钱　凤凰衣五钱　冰片一钱

【用法】 上药研末，每服五分，酒泡服。

【出处】 宁乡中医王镇斋（《湖南省中医单方验方》第

二辑）。

【主治】 胃口疼。
【方药】 公丁香一钱　乳香一钱　神曲三钱
【制法】 以阴阳瓦焙干研末。
【用法】 黄酒冲服出汗，继服稀饭一碗，加红糖二两。
【禁忌】 晕腥生冷食物。
【提示】 本方对寒疼有效，热疼不宜，用时须辨清寒热。
【出处】 汾阳李维旭（《山西省中医验方秘方汇集》第三辑）。

【主治】 胃口疼。
【方药】 草豆蔻五钱　炒三仙八钱　香附三钱
【用法】 水煎服。
【出处】 昔阳王益都（《山西省中医验方秘方汇集》第三辑）。

【主治】 心胃冷痛。
【方药】 白胡椒七粒　吴萸七粒　丁香三粒
【用法】 研细，兑酒服。
【出处】 石砫县卫协会（《四川省医方采风录》第一辑）。

【主治】 心胃冷痛。
【方药】 丁香一两　广香七两　白蔻一两　砂仁一两　陈皮

一两　大茴七两　小茴五两　大黄五两　肉桂五两　檀香五两　甘草八两

【制法】 用白酒浸十天，滤去渣，用瓶封装备用。

【用法】 成人每次服三钱至六钱，小儿减半。

【提示】 如加入樟脑五钱，薄荷冰五分，可当救急水用，治一切痧症、昏逆、呕泻。

【出处】 石砫县卫协会（《四川省医方采风录》第一辑）。

【主治】 心胃气痛，兼治水肿等症。

【方药】 一枝香兜二钱　石菖蒲一钱　黑牵牛二钱

【制法及用法】 上药共研细末，一次量。每天服一次，火酒为引，十余服除根。疼痛剧时，用热酒兑服，其痛即止。

【出处】 贵溪卫协分会周双兴（《江西省中医验方秘方集》第三集）。

【主治】 胃气疼痛，痛剧作呕。

【方药】 上安桂二钱　高良姜三钱　正盔沉一钱

【制法及用法】 以上三味俱用完整的不用咀片，烧酒一两或二两磨汁，磨六剂或七剂。用磨药汁的烧酒食，会饮酒者每服二两；不会饮酒者，每服一两，连服四五剂可以止痛。

【禁忌】 孕妇忌服。

【出处】 进贤张公中医联合诊所祝三（《江西省中医验方秘方集》第三集）。

【主治】 胃病。

【方药】 复方胃舒平：姜半夏　海螵蛸等量

【提示】 1007例中98%以上痊愈，一般2~3日愈，长者7日治愈。本方系安徽省安庆医药公司出品。

【出处】 (《中医名方汇编》)。

【主治】 胃气痛，并开胃、增进食欲。

【方药】 骚羊古五钱　广木香二钱　辰砂草三钱

【制法】 各药研成细末，配合制成散剂。

【用法】 开水吞服，每日三次，每次一钱。

【出处】 杨济中（《贵州民间方药集》增订本）。

【主治】 胃痛饱胀难受，大便不下。

【方药】 土知母粉一钱　葱一根　白糖一两

【制法】 先以开水泡葱，取其浸液，加白糖溶化，再加烧酒二钱。

【用法】 用以上液汁，吞了土知母粉，一次服完。

【出处】 李兴全（《贵州民间方药集》增订本）。

【主治】 胃脘痛。

【方药】 花椒子二钱　土炒苍术三钱　白萝卜子三钱

【制法】 炒焦研细。

【用法】 开水冲，饭后适量服下，二剂即愈。

【出处】 孝感专署（《湖北验方集锦》第一集）。

【主治】 一切胃脘疼痛，食痛、血痛、气痛。

【方药】 胃痛特效丸：二丑一两二钱　灵脂六钱　香附六钱

【用法】 共为细末，面醋丸，豆粒大。每服三钱，白水下。

【禁忌】 忌生冷。孕妇忌服。

【出处】 山东孟继升（《吉林省中医验方秘方汇编》第三辑）。

【主治】 胃腹痛，年久不愈者。

【方药】 起痌丸：川乌四两　山栀二两　元明粉二两

【用法】 共为末，蜜丸三钱重。饭后服，一日二次，连服七天有效。

【禁忌】 孕妇忌服。

【出处】 镇赉县刘广远（《吉林省中医验方秘方汇编》第三辑）。

【主治】 胃痛（属于寒痛者）。

【方药】 舒胃散：官桂五钱　良姜五钱　郁金五钱

【用法】 共为细末，每服二钱，白酒送下。

【禁忌】 胃内有热者忌用。孕妇忌服。

【出处】 敦化县张春堂（《吉林省中医验方秘方汇编》第三辑）。

【主治】 胃痛。

【方药】 胃痛散：良姜二钱　槲片二钱　焦三仙六钱

【用法】 共为细末，每服二钱至三钱，开白水下。

【出处】 九台县郑竹溪（《吉林省中医验方秘方汇编》第三辑）。

【主治】 心痛。
【方药】 乌梅一个 杏仁（去皮尖炒）七个 小枣（去核）二个
【制法】 上药共捣一处。
【用法】 内服，男用酒送下，女用醋送下。
【出处】 武邑县张俊川（《十万金方》第二辑）。

【主治】 心胃痛。
【方药】 白胡椒九粒 大枣三个 杏仁五个
【用法】 共捣烂，用热烧酒送下。
【治验】 镇宁堡王文浩久患胃痛，经用本方治好。
【出处】 赤城县米深（《十万金方》第二辑）。

【主治】 寒性胃疼。
【方药】 五灵脂四钱 官桂一钱五分 丁香二钱五分
【用法】 共为细末，分三服，盐水送下。
【出处】 丰宁县张文田（《十万金方》第十二辑）。

【主治】 胃痛，吐清水，寒气郁着的最效。
【方名】 香良汤
【方药】 香附（醋炒）五钱 醋元胡五钱 良姜（酒炒）五钱
【制法】 水煎服。
【治验】 三剂能好。
【出处】 峰峰县吴天锡（《十万金方》第十二辑）。

【主治】 心痛。

【方名】 胡椒大枣汤

【方药】 乌梅一个 大枣二个 胡椒七个

【制法】 共为细末

【用法】 男人用开水送下，女人用醋送下。

【出处】 峰峰矿区张惠（《十万金方》第十二辑）。

【主治】 胃口痛。

【方药】 丹参一两 砂仁二钱 檀香二钱

【用法】 水煎服，日分服三次。

【出处】 安国县光明街吕德祥（《祁州中医验方集锦》第一辑）。

【主治】 神经性胃痛，呈阵发性疼痛，食欲减退，脉象沉迟。

【方药】 甘松三钱 沉香二钱 香附三钱

【制法及用法】 将沉香捣碎，水煎温服，一日三次。

【禁忌】 生冷。

【出处】 忻县王应祥（《山西省中医验方秘方汇集》第二辑）。

【主治】 胃寒痛。

【方药】 吴萸一钱 肉桂一钱 广香一钱

【用法】 将上药研成细末，分两次开水调服，每隔四小时服一次。

【出处】 邓江音（《崇仁县中医座谈录》第一辑）。

【主治】 胃痛。

【方药】 良姜二钱　香附三钱　乌药五钱

【用法】 共研末，每服二钱，温开水送下。

【出处】 江西赣县李端瑞（《中医名方汇编》）。

【主治】 胃痛。

【方药】 乌贼骨四两　沉香五钱　脐带蒂五钱

【用法】 用脐带焙干，与上二味共研末，饭前调开水服（分五次）。

【出处】 江西兴国（《中医名方汇编》）。

【主治】 心胸疼痛，牵制胁背。

【方药】 元胡二两　川军六钱　二丑六钱

【制法】 共研细末备用。

【用法】 把上面制成的药面日服两次，成人每次三钱，早晚白水送下。

【出处】 行唐县上碑乡医院张杏元（《十万金方》第二辑）。

【主治】 胃痛。

【方药】 乌梅一个　大枣二枚　杏仁七枚

【制法】 同捣为泥。

【用法】 男用酒、女用醋调服。

【出处】 曾禄高（《中医采风录》第一集）。

【主治】 胃痛。

【方药】 黄连 干姜 吴萸各二钱

【制法】 研面。

【用法】 兑甜酒服。

【出处】 许开廷（《中医采风录》第一集）。

【主治】 胃痛，胸痹，胸中气塞，短气。

【方名】 茯苓杏仁甘草汤

【方药】 茯苓五钱 杏仁三钱 甘草二钱

【用法】 清水煎服。

【出处】 大魏庄赵士忠（《十万金方》第十二辑）。

【主治】 胃口疼。

【方药】 川良姜三钱 槟榔片三钱 广砂仁三钱

【用法】 水煎服。

【出处】 抄纸屯（唐县）杨振玉（《十万金方》第十二辑）。

【主治】 心口疼，诸药不效。

【方药】 百合一两 乌药四钱 木香三钱

【用法】 水煎服。

【出处】 易县梁老岐（《十万金方》第十二辑）。

【主治】 胃寒剧痛。

【方名】 胃痛丹

【方药】 郁金 官桂 甘草各等分

【制法】 研成细面。

【用法】 每服二三钱，白开水送下。

【出处】 唐山市颜展龙（《十万金方》第十二辑）。

【主治】 胃口疼。

【方药】 香附三钱　良姜三钱　荜茇三钱

【用法】 水煎服。

【出处】 博野医院朱杰三（《祁州中医验方集锦》第一辑）。

【主治】 胃口疼。

【方药】 川枳壳二钱　白古月三钱　鹿茸二钱

【用法】 共为面，白烧酒送，日二次。每次五分，饭后服。

【出处】 安国县南柳絮胡云逢（《祁州中医验方集锦》第一辑）。

【主治】 慢性胃痛。

【方药】 青皮二钱　元胡二钱　没药一钱半

【用法】 水煎服。

【禁忌】 孕妇忌服。

【出处】 大通中医进修班陈助邦（《中医验方汇编》）。

【主治】 胃疼。

【方药】 广木香二钱　榔片二钱　二丑二钱

【用法】 共为细面，开水冲服。

【出处】 安国县石佛村门诊部黄国俊（《祁州中医验方集锦》第一辑）。

【主治】 胃寒疼。
【方药】 蒲黄三钱　灵脂三钱　卷柏三钱
【用法】 共为细末，顿服，黄酒送下。每天三服，连服三天。
【治验】 治愈本村马明盛等多人。
【出处】 安国马家庄马国栋（《祁州中医验方集锦》第一辑）。

【主治】 胃疼。
【方药】 丹参一两　砂仁二钱　檀香二钱
【用法】 水煎服，日分服二次。
【治验】 李贺令之妹及李福来之妹等数十人。
【出处】 安国吕德祥（《祁州中医验方集锦》第一辑）。

【主治】 胃病。
【方药】 元胡三钱　肉桂一钱　广香一钱半
【用法】 煎两次，先后分服。
【出处】 陈辅仁（《崇仁县中医座谈录》第一辑）。

【主治】 心胃疼。
【方药】 黑白丑各二钱　良姜　五灵脂　香附各二钱
【制法】 共为细末。
【用法】 黄酒为引，开水冲服（孕妇禁用）。

【出处】 平山县赵振明（《十万金方》第一辑）。

【主治】 胃痛。
【方药】 丹参三钱　广砂仁三钱　檀香三钱　紫朴三钱
【用法】 水煎服。
【出处】 怀安县李富山（《十万金方》第三辑）。

【主治】 治心胃腹疼、心中发热（烧心），属于寒性为宜。
【方药】 核桃仁（炒熟）四两　大枣肉泥二两　鲜姜（去皮）四两　黑胡椒二钱
【制法】 共捣如泥为小丸。
【用法】 每服一钱，白水送下。
【出处】 宁晋县王书通（《十万金方》第三辑）。

【主治】 胃寒疼痛。
【方药】 胡椒七粒　大枣（去核焙焦）二枚　杏仁（焙干）五个　五灵脂一钱
【用法】 共为细末，烧酒一两冲服。
【出处】 高阳县马温甫（《十万金方》第六辑）。

【主治】 胃寒气滞痛。
【方药】 肉桂三钱　沉香三钱　砂仁三钱　白酒一斤
【制法】 将药和酒入瓶内泡之。
【用法】 一日五次，每次一小杯，徐徐饮之。
【出处】 刘淑量（《河南省中医秘方验方汇编》）。

【主治】寒滞胃气疼。

【方药】全蝎（去毒）三个　广木香一钱二分　胡椒一钱　巴豆（去油）一个

【制法】共研细末，炼蜜为丸如莲子大。

【用法】每服一丸，开水送下。

【出处】史襄臣（《河南省中医秘方验方汇编》）。

【主治】胃气痛。

【方药】草果（煨）二钱　元胡（酒炒）二钱　灵脂（醋炒）三钱　没药（去油为末，另服）三钱

【制法】水煎。

【用法】先用水酒一两送服没药面，再服煎药。

【出处】商专武敬一（《河南省中医秘方验方汇编》续二）。

【主治】胃脘痛。

【方药】荜茇一钱　绿豆（炒）三钱　七叶　黄荆子（炒）三钱

【用法】共研末，开水泡服。

【出处】宁乡县中医潘峙清（《湖南省中医单方验方》第一辑）。

【主治】胃脘时痛，剧烈时兼有呕哕。

【方药】丹参三钱　百合五钱　藿香三钱　降香二钱

【用法】煎服。

【出处】常宁县板桥中医李刚臣（《湖南省中医单方验

方》第二辑）。

【主治】 胃口疼痛，脉沉迟者。

【方药】 吴茱萸一两　上油桂一钱半　当归三钱　醋元胡三钱

【用法】 共研细末，每服三钱，日服三次，开水送下。

【出处】 昔阳李怀寿（《山西省中医验方秘方汇集》第三辑）。

【主治】 心下痞痛。

【方药】 丁香　良姜　肉桂　乌药

【用法】 研末，开水吞服。

【出处】 丰都县张玉芝（《四川省医方采风录》第一辑）。

【主治】 慢性胃肠作痛，吐酸、噎隔、嗳气、作胀、呕吐食物，以及食欲不振等症。

【方药】 广皮二两　甘草一两　食盐（炒）三钱　蔻仁六钱

【用法】 共为细末，日服三次，每次一至二钱，以开水服下。

【提示】 本药宜密封贮藏，不要受潮湿才有效。

【出处】 重庆市第二中医院王仲伯（《四川省中医秘方验方》）。

【主治】 脾胃虚寒，涎唾多或吐清水（并能开胃进食）。

【方药】 猪鸡冠油一斤　核桃仁半斤　白干姜（细末）四两

红白糖各半斤

【制法及用法】 先煎鸡冠油炼熟后，加白糖，俟熔化后，再加入干姜细末、核桃仁和匀，装瓷碗内，早晚煮醪糟或冲开水服。

【提示】 本方治中焦虚寒，用猪鸡冠油有脏器疗法之意，胡桃仁补命门、温三焦，干姜温胃扶脾，故对脾胃虚寒之症，有很好的疗效。

【出处】 廖祯祥（《成都市中医验方秘方集》第一集）。

【主治】 胃痛或胸腹胁痛，已服温热辛燥诸香药无效者。

【方名】 和胃止痛汤

【方药】 炒金铃子三钱 玄胡索三钱 广台乌三钱 米百合二两

【用法】 水煎服，日服三次。

【禁忌】 燥辣、酸味、酒类。

【提示】 本方系海上方金铃子散加入台乌、百合。方内金铃、延胡疏肝镇痛，台乌理气散滞，百合能养胃阴，用于胃痛之不宜于辛香者颇有效。

【出处】 夏质彬（《成都市中医验方秘方集》第一集）。

【主治】 胃痛（胃脘痛，气不舒畅，有时作呕者）。

【方名】 猪枣汤

【方药】 猪肚（全付）一只 红枣半斤 广木香二钱 西砂仁四钱

【制法及用法】 将红枣、广木香、砂仁装入洗净的猪肚内炖烂，连汤饭前服，以适意为度，分数次服完。

【禁忌】 此汤宜淡食，忌用盐，宜戒寒凉食品或薯、芋、糯米等滞气和不易消化的食物。

【治验】 1956年石口村叶某某，男，23岁，患胃脘疼痛，一剂而愈。

【出处】 全南县南径中医联合诊所钟家龙（《江西省中医验方秘方集》第三集）。

【主治】 胃神经痛。

【方药】 沉香曲一两　煅瓦楞子一两　甘草一两　白芍一两

【制法及用法】 上药共研极细末，过绢筛，以瓶收贮听用。服时以白芍、甘草各三钱煎汤代水，送服末药三钱，一日服二次，有抑肝止痛之效。

【出处】 安义县卫协分会黄淮清（《江西省中医验方秘方集》第三集）。

【主治】 胃疼。

【方药】 元胡　乳香　血灵脂　小香各一钱

【用法】 研细末，每服一钱，温开水冲服。

【出处】 李文华（《大荔县中医验方采风录》）。

【主治】 胃疼。

【方药】 杜仲三钱　生杭芍三钱　栀子三钱　粉革二钱

【用法】 水煎服。

【出处】 孙林卿（《大荔县中医验方采风录》）。

【主治】 胃疼。

【方药】 香附三钱 灵脂三钱 生地三钱 木通一钱半

【用法】 水煎，温服。

【出处】 柴修斋（《大荔县中医验方采风录》）。

【主治】 胃气痛，年久未愈。

【方药】 隔山消二钱 蒲黄二钱 五灵脂二钱 野南荞一钱

【制法】 各药研成细末，混合制成散剂。

【用法】 开水吞服，一日三次，每次一钱。

【出处】 杨济中（《贵州民间方药集》增订本）。

【主治】 心气痛、胸胀。

【方药】 穿心莲五钱 青木香五钱 青藤香五钱 吴茰子五钱

【制法】 各药研成细末，混合制成散剂或丸剂。

【用法】 开水吞服，每次服用一钱五分。

【出处】 陈锡彬（《贵州民间方药集》增订本）。

【主治】 胃上下攻痛。

【方药】 一粒丹：郁金三钱 广木香三钱 豆霜一钱 朱砂一钱

【用法】 共为细末，蜜丸，均二十九丸。每服一丸，淡姜汤或开白水下，急痛者酒下。

【禁忌】 孕妇忌服。

【出处】 农安县张济民（《吉林省中医验方秘方汇编》第三辑）。

【主治】 胃痛胀满，攻冲难忍者。

【方药】 四物胃痛丸：二丑八钱　香附五钱　灵脂四钱　元胡三钱

【用法】 共为细末，蜜丸，二钱重。每服一丸，开白水送下。

【禁忌】 孕妇忌服。

【出处】 桦甸县（《吉林省中医验方秘方汇编》第三辑）。

【主治】 胃脘痛。

【方药】 少胜散：古月二钱　良姜二钱　雄黄二钱　豆霜二钱

【用法】 共为细末，每服五分，白酒下。

【禁忌】 孕妇忌服。

【出处】 镇赉县何成志（《吉林省中医验方秘方汇编》第三辑）。

【主治】 胃肠绞结痛甚，串疼，头痛。

【方药】 加减吴萸散：吴萸二两　华夏五钱　木香五钱　川军五钱

【用法】 共为细面，每服五至七分，一日二至三次。

【禁忌】 孕妇忌服。

【出处】 长春李春华（《吉林省中医验方秘方汇编》第三辑）。

【主治】 胃痛，胃脘停郁有寒作痛。

【方药】 胃安散：香附　公丁香　吴萸　良姜各等分

【用法】 共为细末，每服二钱，白水送下。如胃痛上攻甚，四肢厥冷呕吐、脉沉细者，可用烧酒和药烧一分钟再服。

【禁忌】 孕妇忌服。热性痛勿用。本方对胃癌、消化性溃疡无效。

【出处】 农安县邵培深（《吉林省中医验方秘方汇编》第三辑）。

【主治】 妇人胃脘痛。

【方药】 乳没止痛散：乳香三钱　没药三钱　木香三钱　南茴三钱

【用法】 共为细末，每服一钱。

【出处】 吉林市刘景和（《吉林省中医验方秘方汇编》第三辑）。

【主治】 胃寒痛。

【方药】 桂香散：官桂三钱　香附三钱　吴萸三钱　良姜三钱

【用法】 共为细末，每服三钱，元酒调服。

【禁忌】 孕妇忌服。

【出处】 农安县吕仁生（《吉林省中医验方秘方汇编》第三辑）。

【主治】 胃痛。

【方药】 茴香散：神曲三钱　南茴二钱　莱菔子二钱　槟榔一个

【用法】 共为细末，每服三钱，开水送下。

【出处】 农安县赵万昌（《吉林省中医验方秘方汇编》第三辑）。

【主治】 胃痛遇寒气即发，严重时连背及胁攻痛，数日不能饮食。

【方药】 广砂仁三钱　紫蔻三钱　神曲三钱　核桃仁一两

【制法】 将上三药研末，与核桃仁打成饼。

【用法】 痛发连服，以不痛为止。

【禁忌】 忌生冷食物。

【治验】 张北县裕民村王某，男，48 岁，患此症已 10 余年，屡治不效，服此药一剂痊愈。

【出处】 张北刘振幅（《十万金方》第二辑）。

【主治】 胃寒痛。

【方药】 砂仁一钱半　吴萸一钱　广香一钱半　肉桂一钱

【用法】 将上药共研细末，分两次开水调服，每隔四小时服一次。

【出处】 李育桂（《崇仁县中医座谈录》第一辑）。

【主治】 胸腹部作痛（肝胃气疼）。

【方名】 舒气止痛散

【方药】 紫蔻仁一钱　砂仁一钱　广木香一钱　公丁香一钱

【加减】 疼痛部位按之稍轻，脉象迟缓者，原方加肉桂五钱；按之益痛，脉象弦数者，去丁香，加栀子二钱。

【用法】 共研细面，每服八分，用红糖二钱，或白水送服，早午晚各一次。

【治验】 本方确有卓效，本村王某某的儿子，7岁，于9月17日晚间腹痛剧烈，其痛拒按，遂给以舒气止疼散加栀子三剂，每服四分，第一次服减轻，连服之痊愈。

【出处】 冀县张鸿楷（《十万金方》第三辑）。

【主治】 胃痛，服药久不愈者。

【方药】 玄胡　草乌各一钱　良姜　乳香各一钱半

【制法】 水煎。

【用法】 一日三次，分服。

【出处】 曾禄高（《中医采风录》第一集）。

【主治】 心腹疼乍疼乍止，疼则欲死，食不下。

【方名】 九气汤

【方药】 香附一两　郁金八钱　甘草三钱　生姜五钱

【用法】 水煎服。

【出处】 安国县赵守先（《十万金方》第十二辑）。

【主治】 胃口疼，无论寒热虚实皆可。

【方药】 白芍五钱　黄连一钱　附子一钱　甘草一钱

【用法】 水煎服。

【出处】 安国县陈耀宗（《十万金方》第十二辑）。

【主治】 胃口疼痛。

【方药】 白古月一钱　干姜一钱　陈白灰二钱　杏仁三钱

【用法】 共为细面，大枣肉泥为丸，每个重一钱。白酒引，每日三次服，每次一丸。

【出处】 安国县南柳絮胡家志（《祁州中医验方集锦》第一辑）。

【主治】 积聚攻胃疼痛，小腹有血块胀痛。

【方药】 香附（醋制）四两　海粉二两　桃仁一两　白术一两

【用法】 共为细面，醋糊为小丸。每服三钱，淡醋汤送下。

【禁忌】 孕妇忌服。

【出处】 通化市王延峰（《吉林省中医验方秘方汇编》第三辑）。

【主治】 胃口疼。

【方药】 杭白芍五钱　黄连一钱　附子一钱　甘草一钱

【用法】 水煎服。

【出处】 安国县建庄陈耀宗（《祁州中医验方集锦》第一辑）。

【主治】 胃痛。

【方药】 桂心　姜黄　枳壳　陈皮各三钱

【制法】 研面。

【用法】 成人每次服三钱，姜汤送下。

【出处】 陈子式（《中医采风录》第一集）。

【主治】 慢性胃痛，常自觉腹中有水荡动者。

【方药】 白芍一两 甘草五钱 玄胡 雄片各三钱

【制法】 水煎。

【用法】 内服。

【出处】 匡羲和（《中医采风录》第一集）。

【主治】 胃痛（胃痉挛）。

【方药】 元胡三钱 灵脂三钱 乳香三钱 没药二钱 草果三钱

【制法】 上药共为细末，分作二包。

【用法】 每服一包，酒送下。

【出处】 开封朱广居（《河南省中医秘方验方汇编》续一）。

【主治】 心胃痛。

【方药】 胡椒五个 巴豆仁二个 全蝎二个 丁香五分 朱砂三分

【制法】 共为细面，分作三包。

【用法】 每服一包，醋送服。

【出处】 商专张桂田（《河南省中医秘方验方汇编》续二）。

【主治】 胃神经痛。

【方药】 乌梅七个 胡椒七个 大枣七个 生姜七片 生杏仁七个

【制法】 将乌梅、大枣去核，加红糖四两，和各药共捣如泥。男用酩醽酒半斤，女用好醋半斤，煎热冲药。

【用法】 内服取汗。

【出处】 商专陈凤朝（《河南省中医秘方验方汇编》续二）。

【主治】 胃脘痛，属神经性者。

【方药】 五灵脂　草果　延胡　乳香　没药

【用法】 以上每味等分、研末，每次用一钱。能喝酒的，酒泡服；不能喝酒的，开水吞服。

【出处】 湘乡县中医（《湖南省中医单方验方》第一辑）。

【主治】 胃脘疼痛、嗳气。

【方药】 红豆蔻三钱　公丁香二钱　台乌一钱　厚朴三钱　黄连一钱

【用法】 水煎，姜汁一起兑服。

【出处】 攸县中医张鹏程（《湖南省中医单方验方》第二辑）。

【主治】 胃口疼（心口疼痛，重者背部疼痛，食欲不振）。

【方药】 白古月　五灵脂　广木香　硫磺　紫蔻仁　各等分

【用法】 共研细末。每服五分，白酒送下，日服二次。

【出处】 万荣李摄一（《山西省中医验方秘方汇集》第三辑）。

【主治】 胃肝气痛（四肢厥逆，胃痛，消化不良）。

【方药】 香附三钱 元胡三钱 五灵脂二钱 草豆蔻一钱半 广木香一钱

【用法】 水煎服。

【出处】 （《山西省中医验方秘方汇集》第三辑）。

【主治】 胃脘痛。

【方药】 陈皮三钱 青皮三钱 厚朴二钱 广木香二钱 甘草一钱

【制法】 水煎。

【用法】 内服。

【出处】 孝感专署（《湖北验方集锦》第一集）。

【主治】 九种胃病暴痛。

【方药】 痛心灵：古月三钱 全虫三钱 木香三钱 朱砂二钱 豆霜一钱

【用法】 共为细末，面糊小丸、朱砂衣，每丸五分，重。成人每服一丸，黄酒下。

【禁忌】 冷水凉物。孕妇忌服。

【出处】 双阳县高静轩（《吉林省中医验方秘方汇编》第三辑）。

【主治】 胃痛不可忍者，服之立效。

【方药】 胃病奇效丸：糖灵脂一两 红枣（去核）二两 黑矾三分 伏龙肝三钱 百草霜三钱

【用法】 共为细末，调丸（红枣煮胀以后去皮核用，用糖灵脂不用五灵脂），每服一钱五分，黄酒下，痛重者二钱。

【禁忌】 孕妇忌服。

【出处】 敦化县杜先坤（《吉林省中医验方秘方汇编》第三辑）。

【主治】 胃痛（属于热痛者）。

【方药】 锦功丹：川锦纹一斤 槟榔一两 栀子一两 广木香五钱 枳壳五钱

【用法】 用后四味煎水浸泡川军，再将川军阴干为末，每服一钱。

【加减】 气逆上反，加丁香、沉香各四钱；吐食上攻，加砂仁、白蔻各四钱；面积，加神曲五钱。

【禁忌】 妊娠忌服。

【出处】 德惠县李文亚（《吉林省中医验方秘方汇编》第三辑）。

【主治】 胃痛（属于寒痛者）。

【方药】 锦功丹：川锦纹一斤 申姜四两 丁香二两 砂仁一两 盐槟榔一两

【用法】 川军用童便、白酒煮，阴干，与余药共为细末，每服一钱。

【禁忌】 妊娠忌服。

【出处】 德惠县李文雅（《吉林省中医验方秘方汇编》第三辑）。

【主治】 胃疼。

【方药】 丁香二钱 木香二钱 乳香二钱 良姜五分 儿茶五分

【用法】 共为细末，每服二钱，一日二次，女用烧酒、男用黄酒冲服。

【禁忌】 孕妇忌服。

【出处】 怀德县张道芳（《吉林省中医验方秘方汇编》第三辑）。

【主治】 胃中刺痛，面黄肌瘦。

【方名】 平胃加连散

【方药】 苍术三钱 川朴二钱 陈皮三钱 甘草二钱 川连（盐炒）一钱半

【制法】 水煎服。

【用法】 一天一剂，三四剂就好。

【出处】 峰峰赵国忠（《十万金方》第十二辑）。

【主治】 气痛、胃气痛。

【方药】 藿香 朱砂莲 青藤香 茴香根 香灵芝

【制法及用法】 上药用水熬沸，去渣取水，加醪糟服。

【提示】 本方理郁顺气，止痛和胃。凡气痛或胃气痛者服之可愈。

【出处】 蒋国山（《成都市中医验方秘方集》第一集）。

【主治】 胃病属于热者，面赤口渴，自觉心下灼热。

【方药】 元胡三钱 川楝一钱半 百合三钱 台乌一钱半

丹参三钱

【用法】 水煎两次，先后分服，连服二天。

【出处】 陈静安（《崇仁县中医座谈录》第一辑）。

【主治】 胃痛。

【方药】 延胡索三钱　五灵脂二钱　良姜一钱半　大白八分　广木香一钱

【用法】 煎水，将冰片末兑服。

【出处】 江西崇义黄云彰（《中医名方汇编》）。

【主治】 因寒凉所得的胃气疼，胀满、消化不良。

【方药】 莪术一钱五分　广木香三钱　醋香附三钱　良姜一钱五分　草蔻三钱

【用法】 用清水三盏煎至一盏，第二煎再用水二盏煎至一盏，两煎合在一起，分二次温服。

【禁忌】 身体虚弱之人及孕妇勿服。

【出处】 唐山市吴晓峰（《十万金方》第十二辑）。

【主治】 胃疼痛。

【方药】 二丑四两　枳实三两　槟榔三两　木香二两　芒硝六两

【用法】 共研细末，每服三钱，白水送服。

【禁忌】 孕妇忌服。

【出处】 青海石油职工医院武兴亚（《中医验方汇编》）。

【主治】 胃口疼。

【方药】 乳香一钱　没药一钱　五灵脂一钱　白古月一钱　草果一钱

【用法】 共为面，大人二钱，十岁以下一钱，开水送下。

【出处】 安国县庞各庄北堡村耿文光（《祁州中医验方集锦》第一辑）。

【主治】 胃暴痛。

【方药】 砂仁七个　紫蔻二个　丁香七个　巴豆（去油）二个　红枣三个

【用法】 水煎服，一次量，加生姜。

【提示】 针治合谷。

【禁忌】 孕妇忌服。

【出处】 大通中医进修班贺永年（《中医验方汇编》）。

【主治】 胃痛。

【方药】 荔枝　姜炭各二钱　法罗海　广香　蔻仁各一钱

【制法】 水煎。

【用法】 内服。

【出处】 黎汉卿（《中医采风录》第一集）。

【主治】 湿寒结胃，胃中坚硬一块，女在右胸下，面黄肌瘦，不能安眠，咳嗽，四肢难抬。

【方药】 黑矾（炒黄）一斤　山甲五钱　云桂四钱　广木香三钱　大枣（煮熟，去皮核）十二两

【制法】 将前四味为面，同枣肉捣匀、为丸，如桐子大，炒面为衣。

【用法】 每服五十丸，开水送下，一日服三次。

【禁忌】 服药后，忌食盐一百天。

【出处】 商专孔祥升（《河南省中医秘方验方汇编》续二）。

【主治】 胃口作痛，食后则痛，不食则不痛。

【方药】 枳实三钱 厚朴三钱 槟榔三钱 桃仁三钱 乳香三钱 甘草一钱

【用法】 水煎服。

【出处】 无极县邢豪如（《十万金方》第三辑）。

【主治】 胃脘寒痛。

【方药】 乳香 没药 五灵脂 白古月 元胡 草果各一钱

【用法】 共为细末，成人每服二钱，十岁以下服一钱，白水送下。

【治验】 耿国礼之母患胃病，用本方治愈。

【出处】 安国县耿文光（《十万金方》第十辑）。

【主治】 胃寒气疼。

【方药】 柴胡三钱 吴萸一钱 灵脂三钱 砂仁三钱 甘草三钱 黄酒四两

【用法】 水煎服。

【出处】 王箴三（《河南省中医秘方验方汇编》）。

【主治】 胃疼（胃口胀饱疼痛）。

【方药】 枳实三钱 大黄三钱 槟榔二钱 木香一钱 生草五分 生姜二片引

【用法】 水煎服。

【出处】 昔阳朱光富（《山西省中医验方秘方汇集》第三辑）。

【主治】 胃痛属于寒者，即常称的冷气痛。

【方药】 广香 玄胡 肉桂 荜茇 五灵脂 炒没药各等分

【用法】 为细末，每次用五分至一钱，兑醪糟冲服。

【出处】 重庆市第一中医院谢任甫（《四川省中医秘方验方》）。

【主治】 心胃气痛，气血凝滞，风湿关节疼痛。

【方药】 吴茱萸（用叶效果更佳）一两 鲜橘叶三两 石菖蒲二两 小茴香一两 烧酒半斤

【制法及用法】 上药共切碎，和茴香在锅内炒极热，加烧酒再炒，以布包裹熨痛处。

【提示】 本方有行气血、逐寒湿之功效，熨之能止痛，但熨后宜避风寒，以免邪留不去。

【出处】 王恒华（《成都市中医验方秘方集》第一集）。

【主治】 胃痛、呕吐，属寒者。

【方药】 砂仁 半夏 白术各三钱 党参四钱 干姜 炙草各二钱

【制法】 水煎。

【用法】 内服。

【出处】 顾骏发（《中医采风录》第一集）。

【主治】 胃甚痛，呕吐。

【方药】 吴茱萸三钱　陈皮二钱　汉三七（研）一钱　白芍三钱　炙草二钱　法夏二钱

【用法】 用水二茶杯，煎至一茶杯，清出去渣，饭前和汉三七末一起冲服。隔三小时，渣再煎服。

【禁忌】 孕妇忌服。

【出处】 （《青海中医验方汇编》）。

【主治】 胃绞痛，胸胁胀满，呕吐等。

【方药】 茯苓四钱　法夏三钱　厚朴三钱　紫苏三钱　生姜二钱　木香一钱　香附三钱　元胡（研）三钱

【用法】 用水二茶杯，煎至一茶杯，清出去渣，饭前冲服。隔三小时，渣再煎服。

【禁忌】 孕妇去元胡。

【出处】 （《青海中医验方汇编》）。

【主治】 胃气痛，欲食但饱胀不消。

【方药】 穿心莲一钱　茴香一钱　山楂仁炭三钱　茨藜根一钱　桔梗一钱　生姜三片

【制法】 各药以纱布一方包好，置于子鸡腹中蒸。

【用法】 取汤内服。

【出处】 丁惠民（《贵州民间方药集》增订本）。

【主治】 急慢性胃痛。

【方药】 开关丸：古月一两 米壳一两 川椒一两 肉桂一两 干姜三钱 良姜三钱

【用法】 共为细末，面糊小丸。每服三钱，开白水或酒下。

【禁忌】 生冷食物。孕妇忌服。

【出处】 双阳县高静轩（《吉林省中医验方秘方汇编》第三辑）。

【主治】 胃脘疼痛。

【方药】 广木香三钱 盔沉香三钱 公丁香三钱 炙乳香三钱 明没药三钱 真麝香一分

【用法】 共为细末，每服二钱，饭后三十分钟服，日服二次。

【禁忌】 孕妇忌服。

【出处】 刘喜亭（《吉林省中医验方秘方汇编》第三辑）。

【主治】 胃脘痛，寒痛。

【方药】 三香散：丁香四钱 藿者四钱 干姜四钱 朱砂三钱 古月二钱 木香一钱

【用法】 共为细末，每服三钱。

【禁忌】 孕妇忌服。

【出处】 镇赉县姚忠良（《吉林省中医验方秘方汇编》第三辑）。

【主治】 胃痛。

【方药】 灵良散：灵脂三钱　良姜三钱　西归三钱　文术三钱　元胡三钱　木香一钱

【用法】 共为细末，每服二钱，白水送下。

【禁忌】 孕妇忌服。

【出处】 徐海庭（《吉林省中医验方秘方汇编》第三辑）。

【主治】 九种胃痛。

【方药】 可止胃痛散：木香四钱　乳香四钱　没药四钱　儿茶四钱　灵脂四钱　良姜四钱

【用法】 共为细末，每服一钱五分至二钱，元酒为引。

【出处】 李永春（《吉林省中医验方秘方汇编》第三辑）。

【主治】 胃寒痛及腹内胀满等急性寒症。

【方药】 立止寒痛散：硫黄一两　广木香五钱　川附子五钱　贡桂心五钱　白古月三钱　牙皂三钱

【用法】 共为细末，每服二钱，温开水送下。

【禁忌】 生冷腥物。孕妇忌服。

【出处】 通化市王延峰（《吉林省中医验方秘方汇编》第三辑）。

【主治】 九种心胃痛。

【方药】 五灵脂三钱　元胡三钱　广木香二钱　草果仁四钱　良姜三钱　没药二钱

【制法】以上共为细末。

【用法】每服二钱，黄酒送下。

【出处】延庆县连建华（《十万金方》第二辑）。

【主治】胃口痛。

【方药】米壳二钱　干松二钱　广木香二钱　公英三钱　附子五分　清夏一钱半

【出处】安国县焦庄杨奎华（《祁州中医验方集锦》第一辑）。

【主治】胃痛，口渴，食欲不振。

【方药】蜈蚣三条　石斛四钱　砂仁　藿香各三钱　石膏四钱　白蔻二钱

【制法】水煎。

【用法】内服。

【出处】许开廷（《中医采风录》第一集）。

【主治】胃疼，饭后痛甚。

【方名】民间良方

【方药】元胡三钱　灵脂三钱　广木香二钱　陈皮三钱　香附（醋炒）三钱

【用法】水煎服。

【出处】峰峰矿区李德中（《十万金方》第十二辑）。

【主治】寒性心口疼痛。

【方名】土方

【方药】 白胡椒 乌药 丁香 红花 醋香附 五灵脂各等分

【制法】 共为细末。

【用法】 每用一钱半，白水送下。

【出处】 峰峰区胡绪荣（《十万金方》第十二辑）。

【主治】 胃疼。

【方药】 沉香六钱 川军两 良姜二钱 香附五钱 豆霜五分 胡椒二钱

【制法】 共为细末，豆霜研匀后入糯糊为丸，似黍粒大，雄黄为衣。

【用法】 成人每服25~30粒，空心服，白水送下。

【出处】 抚宁张西林（《十万金方》第十二辑）。

【主治】 胃口疼。

【方药】 乳香一钱 没药一钱 灵脂一钱 元胡一钱 草果一钱

【用法】 水煎服。

【出处】 安国庞各庄耿文光（《祁州中医验方集锦》第一辑）。

【主治】 胃疼。

【方药】 全虫八个 蜈蚣十二条 川乌三钱 草乌三钱 明天麻三钱 白术三钱

【用法】 共为细面，每服二钱，白水送下，一日二次。

【出处】 安国县北都门诊部宋宝三（《祁州中医验方集

锦》第一辑)。

【主治】 胃神经痛。

【方药】 沉香四钱　香附二两　乌药二两　砂仁五钱　甘草八钱　厚朴五钱

【用法】 共研细末，每服三钱，淡姜汤送服。

【出处】 西宁铁路医院(《中医验方汇编》)。

【主治】 胃神经痛。

【方药】 胃痛丸：香附三两　元胡三两　良姜二两　建曲二两　山楂二两　甘草一两

【用法】 共研细末，以水为丸，如桐子大，每服五十丸，开水送服，每日二次。

【出处】 西宁中医院马海如(《中医验方汇编》)。

【主治】 胃痛。

【方药】 白术　陈皮　白芍　枳实各一两　荆芥　薄荷各五钱

【制法】 荆芥、薄荷水煮，其余诸药打面。

【用法】 每次服药面三四钱，以荆荷汤送下。

【出处】 杨譬轩(《中医采风录》第一集)。

【主治】 胃脘疼。

【方药】 本地全蝎一个　鸡蛋一个

【制法】 将鸡蛋小头，打一孔，将蝎子装入，泥包住，炭火烧存性，为末。

【用法】 分三次，黄酒送下。

【出处】 平山县刘玉太（《十万金方》第一辑）。

【主治】 心胃痛，五积六聚，肚腹胀满，呕吐酸水，消化不良。

【方名】 止痛化积丸

【方药】 巴豆霜二十八个　杏仁四十八个　川椒胡椒各四十八个　大茴香三钱　干姜三钱　良姜三钱　青皮　陈皮　川芎　三棱（醋炒）　莪术（醋炒）　郁金（醋炒）各三钱　香附米六钱　二丑八钱

【制法】 共为细面，面糊为丸，如黄豆大。

【用法】 每次服七八丸。枣水送下，空心服。如病未痛时，口味不正，剂量可稍大，微泻，即自愈。如急痛，可服十丸，每日连服，但以不泻下为适量。

【出处】 获鹿县（《十万金方》第一辑）。

【主治】 男女胃口疼痛。

【方药】 广藿香三钱　陈皮二钱　云苓二钱　姜夏一钱半　枳实一钱半　川朴二钱　广木香一钱半　沉香二钱　乳香一钱半　甘松一钱　砂仁一钱半　香附三钱　炙甘草一钱

【用法】 水煎服。

【加减】 寒痛加三奈一钱，热痛加柴胡二钱。

【提示】 本方乃家庭常用的效方，治愈率能达百分之九十以上。

【出处】 无极县刘立坤（《十万金方》第三辑）。

【主治】 胃寒心口疼。

【方药】 紫蔻二个 砂仁二个 乌梅二个 神曲一钱半 杏仁二钱 红糖一两 烧酒二两

【制法】 上药共为细末，与酒混合，以酒烧之，等将灭，用物盖之。

【用法】 水冲内服。

【出处】 晋县中医进修学校（《十万金方》第三辑）。

【主治】 胃气不和、疼痛，属气分郁滞、七情所伤者。

【方名】 加味二陈汤

【方药】 清夏二钱 乌药二钱 云苓二钱 陈皮二钱 沉香一钱半 百合五钱 生姜三片

【加减】 根据临床经验，治妇科病再加丹参三钱，砂仁一钱半，白松香二钱，香附二钱，炙甘草二钱，元胡二钱。

【用法】 水煎，临睡时服一次，明日再煎药渣服之。

【治验】 本方治愈多数患者，如无神庄妇女贾玉翠，28岁，患胃脘疼痛，治以本方全愈后，并无后遗症。

【出处】 冀县殷敏斋（《十万金方》第三辑）。

【主治】 胃痛吞酸，饮食少思，两肋膨胀，面色发黄等症。

【方药】 台参一钱半 白术二钱 陈皮二钱 半夏一钱半 砂仁二钱 紫蔻二钱 广木香二钱 紫朴二钱 紫油桂二钱 良姜一钱 青皮二钱 三棱二钱 莪术二钱 藿香二钱 槲片二钱 益智仁二钱 枳壳二钱 川军一钱半

【制法】 煎剂。

【用法】 水煎服，轻者一剂，重者二三剂。

【治验】 本方治愈多人，很有效。

【出处】 阳原县梁兴汉（《十万金方》第三辑）。

【主治】 心中以下，往上冲痛，有热感，及上冲至心口，两肠疼；又治蛔虫，因寒上冲，心口作痛。

【方名】 仲景乌梅丸方

【方药】 乌梅一两　当归　干姜　川连各三钱　黄柏　细辛　桂枝　川椒（炒）　附子　党参各二钱

【制法】 煎服剂。

【用法】 水煎顿服，每日一剂。

【加减】 热多者，乌梅加至两半，川连加至四钱；寒多者，少用川连，多用川椒、附子、干姜。

【治验】 南皮县××庄李某某，男，七十岁，患此症，一日发作十数次，久治未愈，服本方三剂痊愈。

【出处】 保定市刘汉臣（《十万金方》第六辑）。

【主治】 心胃疼痛，饮食少进，胸膈痞塞。

【方药】 木香三钱　砂仁三钱　川朴三钱　广皮三钱　良姜二钱　元胡四钱　白附二钱　白蔻二钱　乳香三钱　没药二钱

【用法】 水煎服，日服两次，早晚服之。

【出处】 涿县吴国才（《十万金方》第六辑）。

【主治】 胃疼，其人或触寒凉，或因气怒，或食黏硬不易消化之物辄犯胃疼。病发时呕吐不思饮，疼痛难忍。

【方名】 七香汤。

【方药】 松香四钱 降香四钱 丁香一钱半 乳香二钱 广木香三钱 香附三钱 沉香三钱 陈皮三钱 甘草一钱半

【用法】 水煎服。

【治验】 北柳庄村董某某，女，年四十二岁，素有胃疼病根，因食后暴怒而复发，剧痛呕吐，急服本方，一剂即愈。

【出处】 高阳县任宝华（《十万金方》第六辑）。

【主治】 胃疼。

【方药】 香附 木香 炮姜 草果 砂仁 甘草各二钱 沉香三钱

【制法】 共为细末。

【用法】 分六次服完，开水送下。

【出处】 抚宁张凌阁（《十万金方》第十二辑）。

【主治】 肝胃不调。

【方药】 香附四钱 砂仁 枳实 麦芽各二钱 云苓三钱 半夏二钱 木香一钱 藿香二钱 川朴一钱半 神曲二钱 干姜一钱

【用法】 水煎服。

【出处】 抚宁李相臣（《十万金方》第十二辑）。

【主治】 九种胃口疼。

【方名】 神仙一块气

【方药】 良姜五钱 川芎三钱 香附七钱 广皮七钱 杏仁七钱 川椒（炒）五钱 二丑各一两 干姜五钱 大茴香三钱 小茴

香五钱

【制法】 共为细面，作丸亦可。

【用法】 每付三钱，早晚白水送下。

【出处】 丰宁县何文明（《十万金方》第十二辑）。

【主治】 膺胸痛。

【方药】 丹参一两　砂仁一钱　檀香一钱　红花三钱　当归五钱　生白芍五钱　银花五钱　川断一钱

【用法】 黄酒为引，水煎服。

【治验】 王振江患膺胸疼，多年不愈，服此药愈。

【出处】 安国县超美人民公社医院霍超群（《祁州中医验方集锦》第一辑）。

【主治】 胃口痛，两胁攻痛。

【方药】 当归三钱　文术三钱　榔片三钱　灵脂三钱　姜黄一钱半　良姜一钱　元胡二钱　郁金二钱　木香二钱　枳翘二钱半　青皮二钱　陈皮三钱　草果二钱半　香附三钱　灵草一钱

【用法】 水煎服。

【出处】 安国县子娄村肖汉三（《祁州中医验方集锦》第一辑）。

【主治】 胃痛。

【方药】 桂枝三钱　羌黄一钱　鸡蛋壳二百个　豆蔻仁三钱　乌药四钱　紫降香五钱　川楝五钱　沉香一钱　海螵硝一两　甘草粉四钱　广木香七钱　没药五钱　乳香五钱　小茴香三钱　山楂三钱

【用法】 研为细末，空腹服。每次服三钱。

【出处】 莆田县张超杰（《福建省中医验方》第三集）。

【主治】 胃痛（寒证胃气痛）。

【方药】 元胡　草果　灵脂　乳香　藿香　乌药　砂仁　良姜　胡椒各等分

【用法】 共研为细末，开水送服，每次服一钱或五分。

【出处】 漳州市梁凤池（《福建省中医验方》第三集）。

【主治】 胃痛。

【方药】 冲潞参四钱　漂白术二钱　盐陈一钱　丁香五分　炒枳实一钱　木香八分　吴茱萸五分　高良姜一钱　豪猪肚二钱　川附子一钱　元胡一钱　黑姜八分

【用法】 水煎服。

【提示】 豪猪肚即豪猪的骨脏，性寒无毒。

【出处】 长乐县赤屿联合诊所林功宇（《福建省中医验方》第四集）。

【主治】 胃痛。

【方药】 槟榔　牛膝各二钱　枳壳一钱半　东坡蔻一钱　九蒸地　香附　白芍　当归各一钱半　朱砂　川贝各一钱

【用法】 上药合为细末，和雄鸡肫炖服。

【出处】 晋江县东石区上坛乡在坛村吴亲耀（《福建省中医验方》第四集）。

【主治】 胃气痛（胃胀闷，食欲不振）。

【方药】 当归一钱半 杭芍一钱半 乌梅七个 黄连六分 川朴八分 炙苏梗一钱半 云皮一钱 炙草三钱 山楂一钱半 麦芽一钱半 生姜三片 红糖五钱

【制法】 水煎。

【用法】 冲红糖服。

【出处】 董之威（《河南省中医秘方验方汇编》）。

【主治】 胃寒疼。

【方药】 桂心二钱 红蔻三钱 白蔻三钱 良姜三钱 茄沉一钱 藿香三钱 丁香二钱 乳香三钱 大茴五钱 广木香三钱 油朴三钱 乌药四钱 白酒一斤 黄酒半斤

【制法】 共装瓶内，在锅内添水，煮二小时为度。

【用法】 每次服一小杯。

【禁忌】 生冷食品。

【出处】 丁长清（《河南省中医秘方验方汇编》）。

【主治】 胃疼。

【方药】 西当归三钱 酒白芍三钱 白茯苓三钱 上桂南一钱 广藿香一钱半 公丁香八分 广木香八分 小茴香八分 广槟榔二钱 炒麦芽二钱 广陈皮一钱半 粉甘草一钱 海南沉二分 生姜三片

【制法】 除海南沉外，其他各药水煎。

【用法】 海南沉放碗内，用药冲服。

【加减】 若气虚者，加黄芪三钱；血滞者，再加重当归、白芍。

【出处】 杨松如（《河南省中医秘方验方汇编》）。

【主治】 胃脘痛（憎寒壮热，时痛时止，甚至呕吐）。

【方药】 丁香 广木香 巴豆霜 白胡椒各三钱 枳壳 红花 灵脂各一两

【制法】 上药共为细末。

【用法】 内服，弱者每服八厘，强者每服一分，开水送下，日二次（三五日可愈，服三星期可除根）。

【出处】 东明尹汝汗（《河南省中医秘方验方汇编》续一）。

【主治】 肝郁胃痛。

【方药】 紫丁香一钱半 良姜一钱 砂仁一钱 川椒三钱 乌梅一个 元寸二分 沉香三分

【制法】 水煎。

【用法】 内服。

【出处】 洛专左华堂（《河南省中医秘方验方汇编》续一）。

【主治】 心胃痛。

【方药】 丹参五钱 檀香三钱 砂仁一钱半 台片三钱 金铃子二钱 元胡三钱 制乳香二钱 广木香七分 沉香五分（男子服去丹参）

【制法】 水煎。

【用法】 内服。

【禁忌】 孕妇忌服。

【出处】 洛专段清吉（《河南省中医秘方验方汇编》续一）。

【主治】 胃气痛不可忍（服热药不效者）。

【方药】 丹参一两　拣砂仁一钱　白檀香三钱　元胡二钱　香附三钱　天台乌药三钱　广木香一钱五分　杭白芍二钱　青皮二钱　粉草一钱

【制法】 水煎。

【用法】 内服。

【提示】 上方对消化性溃疡痛应有效。

【出处】 商专潘备三（《河南省中医秘方验方汇编》续二）。

【主治】 心胃气痛。

【方药】 乌药三钱　广皮　枳壳　大白　元胡各二钱　西茄四钱　广木香八分　青皮　川朴各二钱　香附四钱　桔梗二钱　拣砂仁一钱五分　甘草八分　川佛手八分　生姜三片

【制法】 水煎。

【用法】 内服。

【出处】 商专李华林（《河南省中医秘方验方汇编》续二）。

【主治】 胃气痛（打阵痛）。

【方药】 腹毛四钱　广木香二钱　拣砂仁三钱　白蔻二钱　良姜三钱　法半夏三钱　大丁香二钱　广藿香三钱　薤白三钱　醋香附三钱

【制法】 水煎，加生姜汁少量。

【用法】 内服取汗。

【出处】 商专宋应田（《河南省中医秘方验方汇编》续二）。

【主治】 胃气痛突然而起者。

【方药】 炒穿山甲二钱 醋灵脂二钱半 良姜二钱半 大砂仁二钱 大白二钱 广木香二钱半 元胡二钱 川楝子三钱 乳香二钱半 没药二钱半 海南沉二钱 小茴香二钱

【制法】 上药共为末，另用番木鳖二钱切片，拌药末共炒，至番木鳖焦时，去掉番木鳖不用。

【用法】 每服药末二钱，开水送下。

【出处】 尉氏李子立（《河南省中医秘方验方汇编》续二）。

【主治】 胃寒痛。

【方药】 川良姜一两 川椒五钱 醋香附七钱 桂楠五钱 台乌药七钱 香元二个 红糖二两

【制法】 水煎。

【用法】 内服一剂可愈。

【出处】 遂平张瑞亭（《河南省中医秘方验方汇编》续二）。

【主治】 胃痛，食后更剧，口苦。

【方药】 大黄二钱 良姜二钱 枳壳二钱 厚朴二钱 波蔻一钱 青皮二钱 广皮一钱 云莲一钱

【用法】 以水煎服。

【出处】 宁乡县中医刘维干（《湖南省中医单方验方》第一辑）。

【主治】 胃痛，如刺如割，痛不可忍，诸药不效者。

【方药】 当归五钱　川芎三钱　制香附二钱　木瓜三钱　白芷二钱　青木香三钱　苏梗五钱　生姜一片　甘草一钱半

【用法】 每日煎服一剂，连服三剂，小儿减半量。

【治验】 曾屡用见效，其他类型之胃绞痛亦间有效。方平稳，无重大不良反应。

【禁忌】 有内出血者，方中辛辣药分量宜大减轻。

【出处】 省中医研究所唐构宇（《湖南省中医单方验方》第二辑）。

【主治】 胃痛，食入痛甚，呕吐泛酸，大便黑燥。

【方药】 东波蔻二钱　白芍二钱　茯苓三钱　厚朴三钱　香附米三钱　瓜蒌壳四钱　建菖蒲三钱　荔核五粒　檀香三钱

【用法】 每日煎服一剂。

【加减】 如呕逆胸满，加赭石三钱，旋覆花三钱。

【出处】 常宁中医谷鼎程（《湖南省中医单方验方》第二辑）。

【主治】 胸胃绞痛彻背，用顺气药不效，更增疼痛者。

【方药】 当归五钱　柴胡一钱半　五灵脂三钱　白芍三钱　元胡二钱　川楝二钱　丹皮二钱　栀子仁三钱　川芎二钱

【用法】 煎服。

【出处】 宁乡双江口中医黄寿荪（《湖南省中医单方验方》第二辑）。

【主治】 脾胃虚寒。

【方药】 大党参二两 焦白术二两 泡干姜一两 炙粉草一两 广橘红一两 清半夏一两 醋香附一两 汉附子一两 广砂仁一两 桂楠一两 六神曲一两 黑白丑（炒）五钱

【制法及用法】 以上各味研为细末，炼蜜为丸，每丸三钱重。早晚空心各服一丸，开水送下。连服十日至二十日。

【禁忌】 患胃炎、胃溃疡勿服。

【出处】 长子县李荫成（《山西省中医验方秘方汇集》第二辑）。

【主治】 胃口痛，心口（胃）疼痛，时好时犯，天冷更甚。

【方药】 莱菔子三钱 吴茱萸三钱 焦山楂三钱 炒麦芽二钱 神曲二钱 五灵脂二钱 砂仁三钱 香附三钱 良姜三钱 炙草二钱

【用法】 水煎，空腹服。

【禁忌】 生冷腥晕。

【治验】 孙某某，男，20岁，忻县东楼乡人，患此病已半年有余，诸药不效，服本方两剂痊愈，迄今未犯。

【出处】 忻县狄菊庵（《山西省中医验方秘方汇集》第三辑）。

【主治】 胃口疼（胃寒疼痛，疼时喜按）。

【方药】 贯众炭（不要心）三钱 良姜二钱 乳香三钱 盐炒白芍四钱 荜茇一钱半 陈皮三钱 吴茱萸一钱 盐 砂仁一钱 白古月五分 粉草五分

【用法】 水煎服无引。

【出处】 汾阳宋祝山（《山西省中医验方秘方汇集》第三辑）。

【主治】 心胃刺疼（心胃刺疼，嘈杂吞酸，属于虚寒者）。

【方药】 制附子一两 野党参二两 公丁香五钱 紫蔻仁二钱 真阿胶一两 川牛膝五钱 炙草四钱

【用法】 共研细末，炼蜜为丸。早晚每服三钱，开水送下。

【出处】 米昀（《山西省中医验方秘方汇集》第三辑）。

【主治】 胃扩胀（胃疼胀满，不好出气）。

【方药】 人参三钱 白术三钱 茯苓三钱 半夏三钱 陈皮三钱 砂仁三钱 神曲三钱 麦芽三钱 山楂三钱 广木香三钱 生草二钱

【用法】 水煎服。

【出处】 岚县杨士俊（《山西省中医验方秘方汇集》第三辑）。

【主治】 胃病（胃脘热痛，口渴便秘，脉虚滑数，火邪热郁）。

【方药】 黄连一钱半　栀子一钱半　陈皮二钱　赤苓三钱　半夏三钱　草豆蔻一钱半　炙草一钱　生姜少许引

【用法】 水煎服。

【出处】 昔阳邵观文（《山西省中医验方秘方汇集》第三辑）。

【主治】 胃痛（胃部剧痛，胀满不已，胸中发热等症）。

【方药】 元胡三钱　香附二钱　川楝子三钱　杭白芍三钱　乳香一钱半　陈皮二钱　炒枳壳一钱半　茯苓二钱　生草一钱半

【用法】 水煎服。

【出处】 沁源韩体慈（《山西省中医验方秘方汇集》第三辑）。

【主治】 胃口疼痛（胃口、食道疼如刀割，冷热难进，咽物困难，脉迟缓无力，体温正常）。

【方药】 制香附三钱半　高良姜三钱　砂元胡四钱　当归五钱　乳香一钱半　没药一钱半　上油桂一钱　白及二钱

【用法】 上药共研细末，每服二钱，日服三次，开水送下。

【出处】 昔阳李怀寿（《山西省中医验方秘方汇集》第三辑）。

【主治】 胃脘胀痛，自觉有热辣感觉，或吐酸水，或屙黑血、黑粪。

【方药】 生黄芪八钱　香白芷三钱　苦参三钱　川连一钱五分　生甘草八钱　桔梗三钱　海螵蛸五钱　甘松三钱　象贝母三钱　当归四钱

【用法】 上药共为细末，每次三钱，以开水服下，每日服三次。

【出处】 重庆市第一中医院周百川（《四川省中医秘方验方》）。

【主治】 胃气痛，不分新久均可用。

【方药】 白马通二两　乳香三钱　没药三钱　煨草果二钱五分　沉香一钱五分　川厚朴三钱　五灵脂三钱　延胡索一钱五分　麝香五分　共研细末

【用法】 每次用五分，开水冲服。

【出处】 重庆市第一中医院鲁涤生（《四川省中医秘方验方》）。

【主治】 胃痛（冷气）有包块。

【方药】 广台乌二钱　公丁香七钱　白干姜三钱　上安桂一钱　白豆蔻一钱　川芎三钱　吴萸二钱

【制法及用法】 上药共研细末，甜酒冲服。

【提示】 本方为温中、逐寒、镇痛之剂，对胸腹疼痛之由寒凝气滞者有效，惟其性偏热，炎症性的疼痛忌用。

【出处】 黄澄怀（《成都市中医验方秘方集》第一集）。

【主治】 一切胃痛。

【方药】 乳香三钱 没药三钱 黄连三钱 吴萸三钱 台乌四钱 砂仁三钱 制香附三钱 广木香三钱 金铃炭三钱 延胡索三钱 乌贼骨一两 生白及四钱

【制法及用法】 上药共研细末，每服二钱，一日二次。

【禁忌】 生冷硬物。

【提示】 本方寒热并用，一切因肝郁致血瘀气滞之胃痛，均有效。

【出处】 周济民（《成都市中医验方秘方集》第一集）。

【主治】 胃痛日久，咯血，大便带黑血。

【方名】 清胃汤

【方药】 米百合（炒）一两 白芍五钱 天门冬一两 钗石斛五钱 麦门冬一两 甜杏仁五钱 大红枣四枚 乌梅二个

【用法】 水煎服。

【提示】 本方生津液而止血，滋润胃阴，故对阴虚胃痛或咯血者有效。

【出处】 夏质彬（《成都市中医验方秘方集》第一集）。

【主治】 胃寒痛，胃气痛（神经性胃痛）。

【方名】 治胃痛方

【方药】 青皮二钱 五灵脂二钱 川楝子二钱 良姜（香油炒）二钱 木香一钱 砂仁五钱 玄胡索一钱半 花槟榔一钱半 大茴一钱半 没药一钱半 沉香一钱

【制法及用法】 上药共为细末，再以木鳖子二分五厘去壳切片，同粗末炒焦，去木鳖子不用，再为极细末，每服一钱，以开水下。加酒服之，其效更速。

【提示】 本方对于神经性胃痛，因寒凝气滞者，有顿锉之效。如胃脘高肿、手不可近之的胃痛，即不甚适合，宜灵活运用。

【出处】 赵正行（《成都市中医验方秘方集》第一集）。

【主治】 胃痛。

【方药】 麦冬二钱　香附一两　金银花一两　蒲公英一两　石决明四钱　赭石四钱　川楝三钱　儿茶三钱　没药四钱　生地三钱

【用法】 水煎服。

【治验】 甘寿仁，男，五十三岁，患脘腹胀痛，嘈杂，便黑，舌苔厚腻，舌尖绛红，脉微细。服二剂，饮食增进，便转正常，续服二剂，症状消失。

【提示】 本方治胃溃疡，用意颇佳，或试用。惟香附用量，似嫌大重，须斟酌。

【出处】 宜春县春台公社卫生院杨觉愚（《锦方实验录》）。

【主治】 热型胃痛。

【方药】 黄连一钱　延胡索一钱　川楝子二钱　五灵脂二钱　白芍三钱　乳香八分　甘草一钱　广木香八分　花粉二钱　栀子一钱五分

【用法】 水煎服。

【治验】 王金生，男，十三岁，热性胃痛，心烦口渴，服本方三剂痊愈。

【提示】 治胃痛须辨明寒热和气分血分，选方用药始可企效。本方主治，当属胃痛偏热而兼犯血分者。

【出处】 宜春县春台公社卫生院杨觉愚（《锦方实验录》）。

【主治】 虚寒胃痛。

【方药】 党参三钱 白芍二钱 白术二钱 延胡索一钱五分 川椒五分 干姜一钱 川楝子二钱 益智仁一钱半 甘草一钱 公丁香五分 茄南沉香五分

【用法】 水煎服。

【治验】 丁树荣，男，四十七岁，患虚寒胃病十余年，脘腹胀痛，食后更甚，按之稍减，服上方六剂痊愈。

【提示】 本方乃椒萸理中、丁蔻理中两方加减，用治肝胃虚寒作痛，虽顽固剧烈者亦有显效，但胃病属热者不宜用。

【出处】 宜春县春台公社卫生院杨觉愚（《锦方实验录》）。

【主治】 妊娠肝胃气痛。

【方药】 当归二钱 白芍六钱 川芎一钱五分 泽泻三钱 续断二钱 白术二钱 茯苓三钱 代赭石三钱 旋覆花三钱 公丁香五分

【用法】 水煎服。

【治验】 杨来华，女，二十二岁，怀孕六个月，头晕眼花，脘腹胁肋牵连作痛，痛极时，即气息奄奄，食入即吐，口苦，腰痛，服本方三剂后痊愈。

【提示】 妊娠肝胃气痛过分剧烈，往往影响胎动不安，而治胃痛一般套方，又往往耗气降气，况气息奄奄，已显虚象。本方一面预为护胎，一面镇逆行水，只取丁香一味，温中理气，用量极轻，毫无耗气降气之弊。

【出处】 宜春县春台公社卫生院杨觉愚（《锦方实验录》）。

【主治】 胃痛。

【方药】 杏仁二钱 川朴一钱半 广皮一钱半 郁金一钱半 当归一钱半 桃仁一钱半 玄胡索一钱半 栀仁二钱 香附二钱 姜半夏二钱 川楝子一钱半 五灵脂一钱

【用法】 水煎两次，每次用水一大碗，煎至半碗，温服。

【治验】 彭某某，五十一岁，胸痞，心胃气痛，尤于子午时痛甚，小腹内发热，大便秘结，舌苔黄滑，咳嗽有痰，服上方三剂而愈。

【出处】 安义卫协会（《锦方实验录》）。

【主治】 胃痛。

【方药】 漂苍术二钱 川厚朴二钱半 广木香一钱半 藿梗三钱 九香虫一钱 酒元胡二钱 五灵脂三钱 白芍二钱 制甘松三钱

【用法】 水煎，服二次。

【禁忌】 芋头、豆腐等寒滞性食物不宜吃。

【治验】 肖某某，男，63岁，1957年8月间胃痛苔白，服二剂愈。

【出处】 新余县水西卫生所胡敏（《江西省中医验方秘方集》第三集）。

【主治】 肝胃气痛，吐黄水，痛引背腹，连及上下，甚至吐蛔。

【方药】 炒草蔻二钱 高良姜二钱 左金丸一钱八分 金铃子二钱 煅石决三钱 郁金二钱 豨莶草一钱半 左盘龙（鸽子屎）六粒

【制法及用法】 瓦焙，去臭味，焦黄色为度。每服一钱，日两次。

【出处】 新建卫协分会（《江西省中医验方秘方集》第三集）。

【主治】 寒邪气滞胃痛

【方药】 炒香附二钱 青化桂八分 天台乌二钱 赤芍一钱半 拣天麻一钱半 高良姜一钱半 公丁香一钱 炙甘草一钱 食盐六分

【用法】 水煎，分两次温服。

【出处】 进贤梅庄中医联合诊所聂景东（《江西省中医验方秘方集》第三集）。

【主治】 胃热痛，大便闭塞，小便短赤。

【方药】 黄连二钱 炒山栀二钱 陈皮一钱半 茯苓二钱 法夏一钱半 草蔻仁一钱 炙草一钱 生姜三片 元胡二钱

【用法】 用水二茶杯半，煎至多半茶杯，清出去渣，饭前温服。隔三小时，渣再煎服。

【禁忌】 孕妇忌服。

【出处】 （《青海中医验方汇编》）。

【主治】 胃脘痛，不能食，食则呕吐。

【方药】 党参三钱　吴茱萸二钱　黄连一钱半　茯苓四钱　半夏二钱　宣木瓜三钱　生姜二片　香附二钱　郁金二钱

【用法】 用水二茶杯半，煎至多半茶杯，清出去渣，饭前温服。隔三小时，渣再煎服。

【禁忌】 孕妇忌服。

【出处】 （《青海中医验方汇编》）。

【主治】 胃痛甚剧不可忍。

【方药】 白术二钱　元胡（研）三钱半　香附（研）三钱　当归三钱　青皮二钱　附片一钱半　广木香二钱　炙草一钱半

【用法】 用开水二茶杯，煎至一茶杯，清出去渣，饭前温服。隔三小时，渣再煎服。

【禁忌】 孕妇忌服。

【出处】 （《青海中医验方汇编》）。

【主治】 胃疼。

【方药】 砂仁一钱　丁香一钱　白寇一钱　益智仁一钱　五灵脂一钱　良姜一钱　没药一钱

【制法】 共研细末。

【用法】 开水冲服，每次一钱。

【出处】 王绪钦（《大荔县中医验方采风录》）。

【主治】 孕妇胃疼。

【方药】 党参二钱 白术三钱 云苓四钱 霍香二钱 制半夏一钱半 陈皮二钱 厚朴一钱半 砂仁一钱半 粉草一钱半 淡竹叶引

【用法】 水煎温服。

【出处】 孙林卿（《大荔县中医验方采风录》）。

【主治】 虚寒胃气痛。

【方药】 海南沉五分 木香一钱 乳香一钱 青皮三钱 灵脂二钱 油桂一钱 麝香五分 丁香一钱

【制法】 共为细末。

【用法】 每服五分至一钱，白开水送下。

【出处】 西安市中医进修班边德懋（《中医验方秘方汇集》）。

【主治】 寒性胃痛。

【方药】 沉香二钱 木香一钱 檀香一钱 元胡二钱 香附二钱 佛手二钱 砂仁二钱

【制法】 共为细面。

【用法】 每服一分，用开水送下。

【出处】 西安市中医进修班李继先（《中医验方秘方汇集》）。

【主治】 慢性胃痛。

【方药】 土炒白术一两 炒枳壳二钱 贝母四钱 金铃子五钱 白蔻仁四钱 油厚朴四钱 广木香一钱半 食盐三钱

【制法】 共为细末。

【用法】 每日饭后，开水冲服，每次二钱。

【出处】 西安市中医进修班李振恒（《中医验方秘方汇集》）。

【主治】 胃痛。

【方药】 广木香一钱　乌药一钱　沉香一钱　小茴香六分　郁金一钱　良姜二钱　蔻仁六分　降香六分　佛手片一钱

【制法】 水煎。

【用法】 内服。

【出处】 孝感专署（《湖北验方集锦》第一集）。

【主治】 胃脘痛。

【方药】 党参　茯苓　甘草　广香　砂仁　吴萸　炒黄连等分

【制法】 研末炼蜜为丸，如梧桐子大。

【用法】 每服 40 丸。

【出处】 孝感专署（《湖北验方集锦》第一集）。

【主治】 胃痛。

【方药】 川连一钱　吴萸八分　川楝子三钱　玄胡索二钱　木香四钱　党参三钱　砂仁一钱　建曲三钱　杭芍三钱　甘草三钱　鸡内金三钱　冬楂三钱　白术三钱

【制法】 水煎。

【用法】 日服三次。

【出处】 孝感专署（《湖北验方集锦》第一集）。

【主治】 胃神经痛。

【方药】 桂枝　白芍　当归各三钱　吴萸一钱　细辛五分　荷梗二尺　木香三钱　川连一钱　血屯一两

【制法】 水煎。

【用法】 内服。

【出处】 孝感专署（《湖北验方集锦》第一集）。

【主治】 一切新久胃痛（治愈数十名）。

【方药】 香砂胃痛散：锦纹军一两　朴梢七钱　吴萸五钱　二丑五钱　附子三钱　肉桂三钱　炮姜三钱　枳实三钱　榔片三钱　砂仁三钱　紫蔻三钱　干漆三钱　公丁香三钱　文术四钱　广木香二钱　甘草二钱

【用法】 砂仁、紫蔻、吴萸、二丑用姜汤泡一昼夜，去汤，慢火焙干，同余药共为末。每日一次，每服二钱，开白水下。

【禁忌】 孕妇忌服。忌食生冷、油腻、难消化食物。

【出处】 邹振声（《吉林省中医验方秘方汇编》第三辑）。

【主治】 胃寒痛、食水痛。

【方药】 三粒心痛丸：丁香三钱　木香三钱　雄黄三钱　白胡椒三钱　灵脂三钱　红花三钱　豆霜一钱

【用法】 共为细末，水泛，豆大小丸。一日二次，每服一粒，开白水下，轻者服一二次愈，重者二三日收效。

【禁忌】 有火的胃热痛忌服。忌硬黏食物。孕妇忌服。

【出处】 柳河县王玉书（《吉林省中医验方秘方汇编》

第三辑）。

【主治】 一切急慢新久胃疼。

【方药】 止痛丸：黑丑一两 灵脂一两 草蔻一两 砂仁五钱 神曲五钱 麦芽五钱 山楂肉五钱

【用法】 共为细末，蜜丸三钱重，每服一丸，姜汤下。

【禁忌】 孕妇忌服。

【出处】 舒兰县董树贞（《吉林省中医验方秘方汇编》第三辑）。

【主治】 胃脘痛，心腹剧痛。

【方药】 八仙丹：木香一两 枳壳一两 枳实一两 公丁一两 豆霜一两 红花一两 雄黄一两 毕澄茄一两

【用法】 共为细末，水泛为丸，绿豆大，每服 15 丸，温开水下。

【禁忌】 冷水凉物。孕妇忌服。

【出处】 乾安县高万邦（《吉林省中医验方秘方汇编》第三辑）。

【主治】 新久急慢胃痛，郁积胀满疼痛，以寒证为宜。

【方药】 舒胃丸：香附一两 红曲四两 酒军四钱 枸杞四钱 紫蔻三钱 沉香三钱 砂仁三钱 木香三钱 陈皮三钱 荜茇三钱 厚朴三钱 肉蔻三钱 焦榔三钱 良姜三钱 均青三钱 甘草三钱 枳壳二钱 草蔻二钱 清夏二钱 贡桂二钱 芸香二钱 白芍二钱 公丁二钱

【用法】 共为细末，蜜丸三钱重，每服一丸，白开水下。

【禁忌】 胃燥内热者勿用。孕妇忌服。

【出处】 洮安县张景阳（《吉林省中医验方秘方汇编》第三辑）。

【主治】 各种气郁之胃痛、腹痛。

【方药】 九气拈痛丸：香附一两 灵脂一两 文术一两 榔片一两 陈皮一两 当归一两 良姜八分 青皮八分 枳壳六分 木香五分 草果仁五分 郁金四分 元胡四分 炮姜四分 豆霜四分

【用法】 共为细末蜜丸，每服一钱半，开白水下。

【禁忌】 孕妇忌服。

【出处】 靖宇县陈伯彦（《吉林省中医验方秘方汇编》第三辑）。

【主治】 胃痛，胃胀满膨闷及腰疼。

【方药】 保和丸：川军一钱 姜黄一钱 豆霜一钱 君子肉三钱 木香三钱 儿茶二钱 马钱子（炙黑）二钱

【用法】 共为细末，醋丸绿豆大，朱砂为衣，每服五至七丸，白开水下。

【禁忌】 忌冷水及凉食物。孕妇忌服。

【出处】 长春刘品方（《吉林省中医验方秘方汇编》第三辑）。

【主治】 胃寒痛。

【方药】 干姜三钱 紫蔻三钱 当归三钱 附子三钱 陈皮

三钱　南茴三钱　川芎三钱　贡桂三钱　山柰三钱　良姜三钱　公丁香三钱　佛手三钱　枳实三钱　均青四钱　白酒三斤

【用法】缝细白布袋纳上药，入白酒罐中，浸5~7日，再放锅内煮三至五沸后去药袋。每服一二酒盅，一日一至三次酌用。

【禁忌】生冷之物。孕妇忌服。

【出处】怀德县冷振远（《吉林省中医验方秘方汇编》第三辑）。

【主治】胃痛胃脘痛。

【方药】化铁丹：木香三钱　丁香三钱　沉香三钱　青皮一钱半　陈皮一钱五分　乌梅一个　巴豆八个　古月三十二个

【用法】共为细末，枣肉丸绿豆大，成人每服七至十一丸（按巴豆应去油用霜）。

【禁忌】腥冷食物。孕妇忌服。

【出处】新站齐连荣（《吉林省中医验方秘方汇编》第三辑）。

【主治】胸中胃脘疼痛属寒者。

【方药】五虎擒羊丹：官桂八钱　梛片八钱　良姜八钱　炮姜八钱　盐茴八钱　酒军八钱　枳实六钱　吴萸六钱　干姜六钱　黑附子六钱　香附六钱　紫蔻仁六钱　砂仁六钱　三棱六钱　莪术六钱　川朴四钱　广木香三钱

【用法】共为细末，白面糊为桐子大小丸，每服二至三钱（旧分量），烫开元酒送下。如患此症年久有郁热，当用栀子仁五钱煎水送下，或用栀仁三钱研细末与药丸等分，元酒送下。

【禁忌】 孕妇忌服。

【出处】 白城县檀瑞林（《吉林省中医验方秘方汇编》第三辑）。

【主治】 胃痛属于寒者及肾寒腰膝冷痛等症。

【方药】 加减二气丹：硫黄一两　炮姜一两　吴萸二钱　丁香二钱　甘草三钱　大茴香（盐水炒黄）一斤　生甘草一两

【用法】 先以硫黄（选纯黄色无夹石的）与一两生甘草入磁盆内，加适量水煮半日，煮掉臭腥毒，去甘草，用冷水淘净晾干，研极细末，与余药五味之末合研。每服二钱，有良效。

【禁忌】 生冷及一切禽兽血（鸭蛋能解硫黄毒）。孕妇忌服。

【出处】 白城县檀瑞林（《吉林省中医验方秘方汇编》第三辑）。

【主治】 寒性胃疼痛、吞酸、胀满、停寒、停气、停食。

【方药】 胃痛立效丸：酒军三钱　元胡三钱　青皮三钱　焦榔三钱　香附三钱　没药三钱　良姜三钱　赤芍三钱　紫蔻二钱　广木香二钱　乳香二钱　枳壳二钱　灵脂二钱　炮姜二钱

【用法】 共为细末，蜜丸三钱重。每服一丸，红糖水送下。

【禁忌】 生冷硬物。孕妇忌服。

【出处】 崔兴雨（《吉林省中医验方秘方汇编》第三辑）。

【主治】 九种胃痛。

【方药】 九种拈痛丹：乌药四钱 灵脂三钱 文术三钱 郁金三钱 榔片三钱 陈皮三钱 姜黄三钱 当归四钱 元胡三钱 木香二钱 良姜二钱 炙草二钱 果仁一钱五分

【用法】 共为细末，蜜丸三钱重（或以原份量水煎服之），每服一丸。

【禁忌】 生冷。孕妇忌服。

【出处】 东丰县吴占山（《吉林省中医验方秘方汇编》第三辑）。

【主治】 胃寒气疼痛。

【方药】 救急丸：归尾一两二钱 桂枝一两二钱 公丁香一两二钱 乳香一两二钱 郁金一两二钱 元胡一两二钱 良姜八钱 广木香八钱 荜茇四钱

【用法】 共为细末，蜜丸三钱重。每服一丸，开白水送下。

【禁忌】 生冷。孕妇忌服。

【出处】 怀德县卜秀（《吉林省中医验方秘方汇编》第三辑）。

【主治】 胃疼。

【方药】 即止胃疼丸：榔片二钱 豆霜二钱 君子肉二钱 枳实二钱 广木香二钱 鳖甲二钱 云琥珀一钱

【用法】 共为细末，蜜小丸。每服一钱，开白水送下。

【禁忌】 孕妇忌服。

【出处】 敦化县苗凤梧（《吉林省中医验方秘方汇编》

第三辑）。

【主治】 治九种胃痛，除对虫痛、悸痛无效外，余均有效。

【方药】 胃痛散：广木香六钱 桃仁六钱 青皮五钱 元胡五钱 陈皮五钱 沉香三钱 乳香三钱 没药三钱 灵脂一钱

【用法】 共为细末，每服三钱，姜水送下。

【禁忌】 孕妇忌服。

【出处】 长岭县郝玉春（《吉林省中医验方秘方汇编》第三辑）。

【主治】 胃痛及胸腹痛均有功效。

【方药】 活郁止痛散：青皮六钱 厚朴六钱 莪术五钱 榔片五钱 砂仁五钱 三棱四钱 桃仁四钱 血竭四钱 核桃三钱

【用法】 共为细末，每服二钱，开白水送下，一日二次。

【出处】 镇赉县赵集春（《吉林省中医验方秘方汇编》第三辑）。

【主治】 胃脘痛，属寒证者。

【方药】 温香散：广木香三钱 降香三钱 沉香三钱 乳香三钱 藿香三钱 丁香三钱 小茴香三钱 肉桂三钱 炮姜三钱 胡椒三钱 良姜三钱 朱砂三钱

【用法】 将前十一味用陈醋泡透晒干，共为细末。每服二钱，烧酒、红糖为引。

【禁忌】 痛而有热者勿用。孕妇忌服。

【出处】 靖宇县白玉章（《吉林省中医验方秘方汇编》第三辑）。

【主治】 胃脘郁痛，积痛。

【方药】 消化散：三棱九钱　莪术九钱　木香九钱　乳香九钱　没药九钱　朱砂六钱　雄黄六钱　梆片六钱　硇砂六钱　神曲六钱　黑丑六钱　大黄六钱

【用法】 共为细末，每服三钱，烧酒、白开水均可，每日早晚各服一次。

【禁忌】 孕妇忌服。

【出处】 靖宇县白玉章（《吉林省中医验方秘方汇编》第三辑）。

【主治】 胃痛，胃脘痛均效。

【方药】 如意散：醋青皮二两　醋灵脂二两　川楝子二两　八角大茴二两　元胡一两半　良姜（香油炒）一两半　没药一两半　梆片一两半　广木香一两　盔沉香一两　砂仁五钱　陈皮六钱　穿山甲二两　野鸡嗉子（如无，用鸡内金亦可）一个　木鳖子一两二钱

【用法】 除木鳖子外共为粗末，再入木鳖子去皮切片，同粗末炒至焦黄色，去木鳖子，再研为细末。

【用法】 每服一钱，食盐一粒为引，白水送服，能饮酒者饮一杯酒。孕妇忌服。

【出处】 东丰县张旭东（《吉林省中医验方秘方汇编》第三辑）。

【主治】 胃停寒郁作痛久不愈者。

【方药】 八味止痛散：广木香一钱 枳壳一钱 古月一钱 雄黄一钱 红花一钱 良姜一钱 公丁一钱 豆霜一钱

【用法】 共为细末，每服五分，早晨或痛时服，白开水下。孕妇忌服。

【出处】 瞻榆县王成林（《吉林省中医验方秘方汇编》第三辑）。

【主治】 胃脘痛。

【方药】 安胃散：青皮二钱 灵脂二钱 川楝二钱 甲珠二钱 大茴二钱 元胡一钱半 良姜一钱半 没药一钱半 榔片一钱半 广木一钱 沉香一钱 砂仁五分

【用法】 共为粗末，将木鳖子一两二钱净肉切片同药末炒黄色，去木鳖将前药为细末。每服一钱，淡盐汤下。孕妇忌服。

【出处】 朱士华（《吉林省中医验方秘方汇编》第三辑）。

【主治】 肝气不舒、胃中作痛及胸部疼。

【方药】 舒肝健胃丸：酒芍二两 肉桂一两 沉香五钱 紫蔻五钱 槟榔五钱 砂仁五钱 厚朴五钱 枳实五钱 广木香五钱 藿香五钱 橘红五钱 元参五钱 吴萸三钱 酒军三钱 皂角二钱 良姜五钱 甘草三钱

【用法】 共为细末，炼蜜为丸，每丸重二钱五分，每服一丸，清水送下，重者日服二丸。孕妇忌服。

【出处】 长白县赵金璞（《吉林省中医验方秘方汇编》第三辑）。

【主治】 寒郁气滞胃疼。

【方药】 红蔻三钱 白蔻三钱 五爪橘三钱 榔片四钱 苏打片一两五钱 薄荷冰少许

【用法】 共为细末，每服一钱。

【出处】 颜照祥（《吉林省中医验方秘方汇编》第三辑）。

【主治】 胃气痛、胀满嘈杂痞闷，食水停滞或呕吐酸水。

【方药】 胡椒灵脂散：木香二钱 雄黄二钱 红花二钱 豆霜二钱 枳壳二钱 公丁香四分 灵脂四分 胡椒四分

【用法】 共为细末，每服三分，白水送下。

【禁忌】 孕妇忌服。

【出处】 前郭尔罗斯蒙古族自治县马志超（《吉林省中医验方秘方汇编》第三辑）。

【主治】 寒气胃痛。

【方药】 闹羊花散：广木香九钱 白蔻四钱 荜茇四钱 石榴四钱 栀子一钱 边桂一钱 闹羊花一钱

【用法】 共为细末，每服二钱，白开水下，一日二次。

【禁忌】 孕妇忌服。

【出处】 刘天顺（《吉林省中医验方秘方汇编》第三辑）。

【主治】 胃寒痛。

【方药】 枣仁一两五钱 远志一两 茴香一两 藿香五钱

丁香三钱　贡桂三钱　吴萸三钱　砂仁三钱　果仁三钱　肉蔻三钱　紫蔻三钱　琥珀二钱　朱砂二钱　灵脂二钱　木香二钱　沉香二钱　冬季加古月五钱

【用法】　共为细末，每服三钱，白开水下。若见四肢厥逆，加烧酒引服。

【禁忌】　热痛忌用，新病慎用。孕妇忌服。

【出处】　东丰县（《吉林省中医验方秘方汇编》第三辑）。

【主治】　胃痛。

【方药】　光香附五钱　均青四钱　酒军四钱　乌药三钱　油朴三钱　莱菔子三钱　枳壳三钱　榔片三钱　三棱三钱　神曲三钱　广皮三钱　沉香三钱　蔻仁三钱　砂仁三钱　甘草三钱　公丁二钱　木香二钱　桂心二钱五分

【用法】　共为细末，每服二钱。

【禁忌】　凉硬之物。孕妇忌服。

【出处】　怀德县冷振远（《吉林省中医验方秘方汇编》第三辑）。

【主治】　九种胃痛。

【方药】　九痛散：红花一两　枳壳一两　灵脂一两　木香三钱　丁香三钱　豆霜三钱　古月三钱　明雄三钱

【用法】　共为细末，每服一钱，姜引。

【禁忌】　孕妇忌服。

【出处】　九台县（《吉林省中医验方秘方汇编》第三辑）。

【主治】 胃寒痛、食痛、气痛。

【方药】 安胃止痛散：酒芍五钱　吴萸三钱　桂心三钱　良姜三钱　姜朴三钱　超沉三钱　紫蔻三钱　枳壳三钱　水红子三钱　古月二钱

【用法】 共为细末，每服二钱，早午晚各服一次，鲜姜水或烧酒送下。

【禁忌】 孕妇忌服。

【出处】 九台县王敬礼（《吉林省中医验方秘方汇编》第三辑）。

【主治】 胃疼属寒性者。

【方药】 丁香二钱　藿香二钱　红花二钱　蔻仁二钱　砂仁二钱　良姜二钱　白古月二钱　元胡二钱　枳壳二钱　豆霜五分

【用法】 共为细末，每服五分至七分即可。

【禁忌】 孕妇忌服。

【出处】 孙振芳（《吉林省中医验方秘方汇编》第三辑）。

【主治】 胃痛。

【方药】 止痛丹：香附五钱　大黄四钱　川附子三钱　元胡二钱　木香二钱　榔片二钱　良姜二钱　枳实一钱　陈皮一钱

【用法】 共为细末，每服二钱至三钱，良姜酒送下。

【禁忌】 孕妇忌服。

【出处】 舒兰县董树贞（《吉林省中医验方秘方汇编》第三辑）。

【主治】 一切寒郁气滞之胃痛。

【方药】 胃痛散：贡桂四钱 灵脂四钱 老蔻仁四钱 广皮四钱 石榴皮四钱 山奈四钱 茴香四钱 良姜三钱 荜茇三钱 诃子三钱 红花并三钱 白古月三钱

【用法】 共为细末，每服三钱，红糖为引，白开水下，一日二次。

【禁忌】 生冷物。孕妇忌服。

【出处】 怀德县陈鹏云（《吉林省中医验方秘方汇编》第三辑）。

【主治】 胃疼。

【方药】 潞党散：潞党参二钱 川芎二钱 槟榔二钱 乌药二钱 郁金二钱 盔沉二钱 木香三钱 良姜三钱 香附一钱

【用法】 每服二钱，酒引下。

【禁忌】 孕妇忌服。

【出处】 德惠县张道芳（《吉林省中医验方秘方汇编》第三辑）。

【主治】 胃痛。

【方药】 沉射散：乳香三钱 川军二钱 米壳二钱 枳实一钱五分 木香一钱 沉香一钱 元胡一钱 川连一钱 公丁五分 豆霜五分 雄黄二分 牛黄一分 台麝五厘

【用法】 共为细末，每服五分。

【禁忌】 孕妇及虚弱者慎用。

【出处】 农安县张鸿祥（《吉林省中医验方秘方汇编》第三辑）。

【主治】 胃脘疼痛，胸膈胀满，五积六聚作痛。

【方药】 胃痛散：香附一两　黑丑一两　灵脂五钱　槟片五钱　三棱五钱　文术五钱　川军五钱　沉香三钱　广木香三钱　砂仁三钱　紫蔻三钱

【用法】 共为细末，每服一钱。

【禁忌】 孕妇忌服。

【出处】 伊通县杨希文（《吉林省中医验方秘方汇编》第三辑）。

【主治】 胃脘痛。

【方药】 群香散：广木香　降香　沉香　乳香　藿香　丁香　茴香　肉桂　炮姜　胡椒　良姜　朱砂各等分

【用法】 除朱砂外，用陈醋泡透晒干为末，再将朱砂合研。每服二钱，白酒、红糖为引。

【禁忌】 孕妇忌服。

【出处】 靖宇县白玉璋（《吉林省中医验方秘方汇编》第三辑）。

【主治】 胃痛，牵动胁痛。

【方药】 和胃开郁丸：香附一两　槟片一两　厚朴一两　枳壳一两　黑丑一两　川军一两　赭石一两　内金一两　紫蔻一两　陈皮一两　青皮一两　水红子一两　甘草六钱　茅术五钱　三棱五钱　文术五钱　广木香五钱　焦楂五钱　神曲五钱　麦芽五钱　元明粉五钱　灵脂五钱

【用法】 共为细末，蜜丸三钱或二钱重，每服一丸，姜水送下。

【禁忌】 孕妇忌服。

【出处】 延吉市李云樵（《吉林省中医验方秘方汇编》第三辑）。

【主治】 胃疼痛。

【方药】 消寒去郁散：硫黄　冰片　红矾　白矾　枯矾　雄黄　七厘散各等分

【用法】 共为细末，每服约一二耳勺，白酒送下。

【禁忌】 七日内不许吃小米饭和黄面饽饽。孕妇忌服。

【出处】 范家屯张群（《吉林省中医验方秘方汇编》第三辑）。

【主治】 气滞心胃，胀满不消，或刺痛者。

【方药】 百消丸：黑丑一两　香附一两　神曲一两　山楂一两　山药一两　灵脂一两　焦术一两　青皮一两　麦芽一两　莱菔子一两　槟榔五钱　贡桂五钱　防风五钱　枳实五钱　陈皮五钱　川连五钱　沉香五钱　川芎五钱　当归五钱　乌药五钱　厚朴五钱　法夏五钱　羌活五钱　黄芩五钱　木香五钱　郁金五钱　茯苓五钱　甘草三钱

【用法】 共为细末，炼蜜为丸三钱重，白术面为衣。每服一丸，姜水送下。

【禁忌】 生冷硬物及陈醋。孕妇忌服。

【出处】 范家屯卜秀（《吉林省中医验方秘方汇编》第三辑）。

【主治】 肝胃气痛。

【方药】 姜半夏二钱　薤白头三钱　瓦楞子四钱　广皮一钱　瓜蒌子二钱　姜厚朴一钱　红山楂　六曲各三钱　炙鸡内金一钱五分　川连八分　炙乳没各二钱

【用法】 水煎服。

【禁忌】 忌腻滞和硬物。

【提示】 本方以瓜蒌薤白汤为主，配合小陷胸汤，既能通痹调气，又可化湿和胃，对湿滞气郁的胃痛，有一定疗效。

【出处】 金华市曹咏泉（《浙江中医秘方验方集》第一辑）。

【主治】 胃痛。

【方药】 制香附二钱　刺猬皮一钱半　黄连七分　吴茱萸四分　沉香曲三钱　炙鸡金二钱五分　生白芍一钱半

【用法】 上药煎服。

【加减】 如肝热，吴茱萸改三分，黄连改九分，加生姜汁一匙，甘蔗汁一匙。畏寒加干姜、附片。

【提示】 本方为调气疏肝之剂，对肝木乘土的肝胃气痛，有一定疗效。

【出处】 杭州市董志仁处方江山县冯松华转（《浙江中医秘方验方集》第一辑）。

【主治】 胃气痛。

【方药】 制乳没各一钱五分　香附一钱　藿香一钱　厚朴一钱　石菖蒲八分　台乌药一钱　生甘草八分

【用法】 煎服。

【加减】 如体热而燥之人，加杏仁三钱，瓜蒌实三钱。

【提示】 本方为理气化湿之剂，对脾湿不化、气机不利而胃痛者有效。所谓体热而燥，指大便秘结或便下不畅的患者。

【出处】 瑞安县郑芳兰（《浙江中医秘方验方集》第一辑）。

【主治】 胃痛（偏于湿重者）。

【方药】 土炒白术三钱 香油炒良姜二钱 青陈皮各四钱 炒枳实三钱 尖槟榔三钱 制川朴二钱 白茯苓四钱 砂仁末五分 制半夏三钱 川楝子四钱 淡吴萸三钱 延胡索三钱 生粉草五分 煨木香二钱 乳没药各四钱 五灵脂三钱 上沉香三钱 炒茴香二钱 穿山甲（炙黄）三钱 川连末八分 白蔻仁三钱

【用法】 上药共研细末，用木鳖子一钱五分，切片，放入，炒至焦色，将木鳖子取出不用，再研至极细，用磁罐贮藏。每天于饭后服一钱，用盐汤吞服一次，如有感冒风寒则停服。

【提示】 本方用于神经性胃痛，不能用于胃溃疡。

【出处】 黄汉英（《中医验方交流集》）。

【主治】 寒犯心胃，胃口虚痛，吐酸倒饱胃痛等症。

【方药】 苍术五钱 薏仁一两 干姜二钱 乌药三钱 紫朴三钱 天冬四钱 净吴萸一钱 乳香三钱 熟军五钱 建曲三钱 焦山楂五钱 肉桂二钱 丹参四钱

【制法】 以上药品共研细面。

【用法】 每服一钱至一钱半，早晚空心服。

【出处】 张专西红庙乡王子祥（《十万金方》第二辑）。

【主治】 九种心痛，重患者久服除根。

【方药】 青皮三钱　灵脂五钱　八角茴香（大料）一钱　良姜二钱　元胡三钱　槟榔三钱　没药二钱　炙甘草一钱　广木香二钱　川楝子三钱

【制法】 水煎。

【用法】 黄酒为引。

【出处】 延庆县时荣太（《十万金方》第二辑）。

【主治】 心腹疼痛，胃寒胀满，四肢厥逆。

【方名】 加减温中汤

【方药】 川朴五钱　枳实三钱　青皮三钱　榔片三钱　砂仁二钱　良姜三钱　官桂二钱　木香二钱半　灵脂三钱　吴萸二钱　甘草二钱　神曲三钱

【用法】 生姜水煎服。

【治验】 樊金来女儿、王德山之妻、杨老人儿妇、马老祥儿妇均患腹痛胀满，手按不拒，四肢厥逆，症甚严重，服本方均愈。

【出处】 唐县袁瑞丰（《十万金方》第十辑）。

【主治】 胃口疼痛。

【方名】 胃口疼方

【方药】 当归二钱　青皮一钱半　木香一钱半　槟榔一钱　元胡一钱半　陈皮三钱　香附三钱　姜黄八分　白术八分　灵脂一

钱　良姜一钱　郁金一钱半

【用法】 水煎服。

【出处】 深县（《十万金方》第十二辑）。

【主治】 胃脘痛。

【方药】 黄连　广木香　明没药　宣木瓜　吴茱萸　公丁香　香附　良姜　子蔻　槟榔各三钱　盔沉香一钱半　朱砂另包三分

【制法】 水煎服

【出处】 峰峰孙寿奇（《十万金方》第十二辑）。

【主治】 胃痛，由气郁食积、停饮所致者，都可用。

【方药】 香附二钱半　二丑各二钱　灵脂一钱　木香二分

【制法】 共末，醋糖为丸。

【用法】 每服钱半。

【出处】 峰峰李荣齐（《十万金方》第十二辑）。

【主治】 胃肠病，胃脘攻痛，消化不良，大便燥结，口渴头晕，脉搏弦数。

【方药】 油炒当归四钱　郁李仁三钱　肉苁蓉三钱　川黄连三钱　生石膏五钱　炒枳壳三钱　生白芍五钱　鸡内金（研为细末，冲服）　白檀香二钱　青皮一钱半　金石斛三钱　槟榔三钱　炙草一钱半　黄柏三钱

【用法】 水煎。日服两次。

【禁忌】 生冷和刺激性食物。

【出处】 武乡县王正中（《山西省中医验方秘方汇集》

第二辑）。

【主治】 神经性胃痛，吐酸水，干呕，消化不良，脉搏微弦，右关部弦虚无力。

【方药】 醋柴胡八钱 醋白芍一两五钱 川郁金二钱 香附一两二钱 元胡八钱 川芎六钱 砂仁一两二钱 老蔻米八钱 片姜黄四钱 广皮八钱 炒枳壳一两二钱 槟榔一两二钱 广木香一两二钱 沉香六钱 紫油朴六钱 丹皮六钱 炙草六钱

【制法及用法】 以上各药装瓶，用17%的酒精2400毫升浸，二十天后滤过，装入瓶内。每日三次，每次二毫升，饭后服。

【禁忌】 辛辣刺激性食物。

【出处】 太谷县党振祥（《山西省中医验方秘方汇集》第二辑）。

【主治】 胃气疼痛。

【方药】 白松香二钱 沉香一钱 藿香二钱 木香二钱 陈皮二钱 肉蔻二钱 焦白术二钱 生草二钱

【用法】 共研细末，分三次服，姜葱汤送下。

【出处】 雁北区中医进修班赵善庆（《山西省中医验方秘方汇集》第三辑）。

【主治】 胃痛作饱，嗳酸淡水。

【方药】 川朴 云苓 南楂 大白各二钱 砂仁 广皮 枳壳各一钱半 麦芽 神曲各三钱 莪术二钱 木香 甘草各一钱

【用法】 水煎二次，先后温服。

【出处】 邹梧生（《崇仁县中医座谈录》第一辑）。

【主治】 心胃气痛。

【方药】 吴萸一钱半 台乌二钱 良姜一钱半 广香一钱半 当归三钱 川芎二钱 白芍三钱 丹乡三钱 香附二钱 甘草一钱

【用法】 水煎两次，分后分服，每隔4小时服一次。

【加减】 胸前作饱，加枳实二钱，川朴二钱；胸前肿痛，加全瓜蒌三钱，法夏二钱，云连五钱；心痛连背，加瓜蒌二钱，薤白二钱；呕吐，加法夏二钱，云连五钱；面赤唇红，去吴萸、良姜，加干合二钱，黄芩二钱。

【出处】 周翰香（《崇仁县中医座谈录》第一辑）。

【主治】 胃病属于寒者，面青唇白，欲得热熨。

【方药】 结丐 白术 丹参各三钱 良姜 炙草 砂仁 木香各一钱

【用法】 水煎两次，先后分服。如不应，原方加附子一钱半，肉桂五分，再服一剂。

【出处】 陈静安（《崇仁县中医座谈录》第一辑）。

【主治】 胃痛，因于食积者，嗳腐吞酸、呕吐饱闷、痛而拒按。

【方药】 苍术 川朴 陈皮 香附各一钱半 神曲 麦芽 山楂各三钱 砂仁 木香 藿香各一钱

【用法】 水煎两次，先后分服。

【出处】 陈静安（《崇仁县中医座谈录》第一辑）。

【主治】 胃痛。

【方药】 没药一钱半 丁香一钱半 蒲黄四钱 木香二钱 藿香一钱半 延胡索三钱 白芍二钱 甘草八分 乳香一钱半 五灵脂一钱

【用法】 水煎服。

【禁忌】 忌食煎炒辣椒。

【提示】 用量要请医生掌握。

【出处】 江西上犹邱运中（《中医名方汇编》）。

【主治】 肠胃痛，吐泻。

【方药】 胃苓汤加黄连一钱半 黄柏一钱半 木香一钱 枳壳一钱半

【用法】 水煎服。

【出处】 姜正卿（《中医验方汇编》）。

【主治】 胃痛呕吐。

【方药】 二陈汤加党参三钱 竹茹三钱 覆花三钱 赭石五钱

【用法】 水煎服。

【出处】 姜正卿（《中医验方汇编》）。

【主治】 胃气痛。

【方药】 姜黄三钱 灵脂二钱 莱菔子三钱 元胡二钱 吴萸二钱 澄茄二钱 官桂二钱 台乌一钱 良姜二钱 三棱二钱 莪术二钱 乳香二钱 没药二钱 丁香一钱半 广木香一钱 枯矾一钱

【用法】 水煎服，姜引或酒引。

【提示】 可按患者虚实定剂量。

【禁忌】 孕妇忌服。

【出处】 青海石油职工医院唐文斌（《中医验方汇编》）。

【主治】 脾胃不和之胃腹疼痛，胸满作胀，或气上攻，打咯反胃，饮食减少等症。

【方药】 腹胃灵：人参五钱　白术五钱　茯苓五钱　厚朴五钱　砂仁五钱　乌药五钱　神曲五钱　麦芽五钱　十开蔻五钱　草果仁五钱　香附五钱　当归七钱　川芎四钱　橘红四钱　苍术四钱　槲片五钱　白蔻四钱　石斛四钱　薏米四钱　半夏三钱　枳壳三钱　苏梗三钱　沉香二钱　甘草三钱　白酒三斤　白糖二斤　青皮五钱　木香三钱

【用法】 先用白水三斤将药泡一宿，再将白酒入内再泡，使药力下来，再用白布拧出药水，把白糖投入与药水均匀，每次服二至三盅。

【禁忌】 孕妇忌服。

【出处】 镇赉县荆树范（《吉林省中医验方秘方汇编》第三辑）。

【主治】 脾胃虚寒、肝气不舒，寒与气上逆，导致呕吐胃疼，饮食不进。

【方名】 平胃散（加味）

【方药】 藿香二钱　广皮二钱　半夏二钱　茯苓二钱　苍术二钱　砂仁二钱　草蔻二钱　广木香二钱　公丁香一钱半　竹茹二

钱　川军二钱　枳壳二钱　槟榔二钱　紫朴二钱　油桂一钱半　乌梅二钱　柴胡二钱　香附二钱　生草二钱　青皮二钱

【制法】　煎剂。

【用法】　水煎服（一服无效者，可连服二剂）。

【出处】　阳原县梁兴汗（《十万金方》第三辑）。

【主治】　胃口痛。

【方药】　良姜一钱半　官桂一钱半　白芍三钱　苍术三钱　乌药一钱半　厚朴三钱　元胡三钱　乳香三钱　三棱三钱　文术三钱　砂仁二钱　茴香二钱　枳实三钱

【用法】　水煎服。

【出处】　安国县城东乡于堤村门诊部戴耀文（《祁州中医验方集锦》第一辑）。

【主治】　胃气上冲，两肋胀满疼痛。

【方药】　当归一两　白芍一两　莱菔子（炒研）四钱　车前子一钱半　枳壳三钱　槟榔一钱半　炙草一钱半　广木香（研冲）一钱　砂仁钱半　生姜三片

【用法】　水煎服。广木香粉分两次冲服。

【出处】　繁峙县张文礼（《山西省中医验方秘方汇集》第二辑）。

【主治】　妇女胃口疼痛，脉见沉细。

【方药】　丹参一两　砂仁一钱　檀香一钱　香附三钱　甘草一钱　元胡三钱

【用法】　水煎服。

【加减】 呕吐，加竹茹三钱，砂仁一钱；腹满，加厚朴三钱，枳壳二钱；孕妇减元胡。

【出处】 无极县杨振安（《十万金方》第二辑）。

【主治】 胃气冷痛，初病则恶寒壮热，胸满痞硬、痛不可近手。

【方药】 枳实四钱　子朴　紫蔻　良姜　陈皮　郁金　乌药　草果仁　青皮　甘草各二钱

【用法】 水煎服。

【出处】 于子瀛（《十万金方》第十二辑）。

【主治】 胃寒疼痛，吞酸呕逆，消化不良，腹部作胀，颜面苍白，食凉物则犯胃痛。

【方药】 广木香二钱　砂仁　元胡　灵脂　良姜　当归　川楝子　官桂　甘草各三钱　香附四钱

【制法】 共为细末。

【用法】 每服一钱五分，引用红糖鲜姜汁，白水送下。

【出处】 唐山市孙鹏山（《十万金方》第十二辑）。

【主治】 胃寒疼、腹疼。

【方药】 厚朴三钱　陈皮二钱　木香二钱　枳壳二钱　白蔻二钱　槲片三钱　没药二钱　茴香三钱　香附三钱　吴萸　片姜　炙草　丁香　竹茹各二钱

【用法】 水煎服。

【出处】 抚宁申树芳（《十万金方》第十二辑）。

【主治】 胃疼。

【方药】 江子二两 川军二两 干姜 乳香 没药 牙皂 木香 灵芝 藿香 郁金各五钱

【制法】 共为细末，醋糊为丸，去豆大，朱砂为衣。

【用法】 每服二十三粒，老人服十五粒。

【出处】 抚宁陈义先（《十万金方》第十二辑）。

【主治】 胃疼。

【方药】 香附五钱 良姜四钱 川朴三钱 枳实四钱 广皮三钱 青皮三钱 焦榔片五钱 三棱二钱 文术二钱 川军五钱 李仁四钱 桃仁四钱 元胡三钱 杏叶四钱

【用法】 水煎服，弱人分量减半。

【出处】 抚宁王文臣（《十万金方》第十二辑）。

【主治】 因食冷物胃疼，呕吐清水。

【方药】 广木香三钱 元胡二钱 丁香二钱 硫磺三钱 古月三钱 白蔻仁三钱 灵脂三钱

【制法】 共为细末。

【用法】 每服五分，日用二次，白开水送下。

【出处】 峰峰矿区观台镇彭金铎（《十万金方》第十二辑）。

【主治】 胃疼、腹疼。

【方药】 白蔻 丁香各五钱 檀香 粉草 神曲各一两 广砂三钱 桂楠一两 朱砂一两 薄荷二钱

【制法】 共为细末。

【用法】 胃疼姜汤下，吐泻开水送下。每服五分重者一钱，白水送下。

【出处】 抚宁白铭三（《十万金方》第十二辑）。

【主治】 胃寒作痛。

【方名】 三香散

【方药】 丁香　沉香　广木香　砂仁　良姜　丁皮　青皮　元胡　肉桂　白芍　半夏　菖蒲　五灵脂　厚朴　陈皮　红花　当归　云苓各等分

【制法】 共为细面。

【用法】 每服三钱，元酒冲服。

【出处】 唐山市方宗如（《十万金方》第十二辑）。

【主治】 心口疼，气上冲。

【方药】 乌梅十个　细辛一钱　干姜二钱　黄连　当归　附子　川椒各二钱　桂枝　川楝　柴胡　杭芍　乳香　没药各三钱　甘草二钱

【用法】 水煎服，为丸亦可。

【出处】 抚宁张子享（《十万金方》第十二辑）。

【主治】 胃脘疼痛，小肠疝气，大肠之风积结水气上逆。

【方名】 枳实导滞汤

【方药】 枳实四钱　枳壳三钱　陈皮二钱　青皮二钱　良姜三钱　吴萸三钱　茴香三钱　山甲一钱　金铃子二钱　白术二钱　赤茯苓三钱　党参二钱　车前子三钱　大黄二钱　甘草三钱　没药

二钱　乳香二钱　肤皮三钱　生姜引

【制法】 先煮大黄，沸后去渣，纳诸药。

【用法】 早晚空心服。

【出处】 围场县杨钧（《十万金方》第十二辑）。

【主治】 心腹疼痛，昏迷不省人事。

【方药】 香附二钱　元胡二钱　广木香二钱　枳壳二钱　三棱二钱　莪术二钱　木通二钱　蒲黄一钱

【制法】 共为细末，面糊为丸，豆粒大。

【用法】 每服六个，白水送下。

【出处】 峰峰矿区王治广（《十万金方》第十二辑）。

【主治】 胃脘疼。

【方药】 良姜一分　肉桂一分　吴萸一分　茴香一分　丁香一分　紫蔻一分　杷果一分　乌药一分　木香一分

【用法】 共为细面，黄酒送下，有寒有气，服此痊愈。

【出处】 安国县王籐宵（《祁州中医验方集锦》第一辑）。

【主治】 胃冷痛，面黄肌瘦。

【方药】 附片一钱半　干姜钱半　草蔻一钱　益智仁（炒）一钱　人参一钱　甘草一钱　酒芍一钱　官桂五分　吴萸五分

【用法】 水煎服。

【禁忌】 孕妇忌服。

【出处】 大通中医进修班侯永吉（《中医验方汇编》）。

【主治】 胃口寒疼。

【方药】 广木香三钱　草果二钱　乳香一钱　没药一钱　檀香二钱　沉香二钱　毛术三钱　丁香一钱　香附三钱　茴香一钱

【用法】 水煎服。

【出处】 安国县路景村徐顺常（《祁州中医验方集锦》第一辑）。

【主治】 胃口疼。

【方药】 沉香三钱　炒丁力子三钱　广木香三钱　三棱三钱　川芎三钱　公丁香三钱　榔片三钱　明没药三钱　炒牙皂三钱　制八豆双三钱　火香三钱

【用法】 以上药共一处，为细面为丸均可。每天早晚空心服，成人每次服用五分至八分可也。

【出处】 安国县寺下村王德升（《祁州中医验方集锦》第一辑）。

【主治】 寒性胃疼。

【方药】 砂仁三钱　絮蔻三钱　乳香三钱　没药三钱　白矾三钱　白面三钱　核桃仁三钱　生桃仁一个　生杏仁一个

【用法】 共为面，蜜丸，丸重三钱。日服两个，分三次，姜引。

【出处】 安国县和平村魏德欣（《祁州中医验方集锦》第一辑）。

【主治】 胃痛。

【方药】 丹参　当归各四钱　青皮　陈皮　草蔻　柴胡

益智　升麻各三钱　吴萸二钱　甘草一钱

【制法】　水煎。

【用法】　内服。

【出处】　李化成（《中医采风录》第一集）。

【主治】　胃痛。

【方药】　汕朴　槟榔　二皮　枳壳　君肉各三钱　生姜　砂仁各二钱　木香　吴萸　丁香各一钱

【制法】　水煎。

【用法】　内服。

【出处】　李堪玉（《中医采风录》第一集）。

【主治】　胃痛。

【方药】　人参　黄芩　知母　玉竹　茯苓各三钱　白术　栀子（姜水炒黑）　陈皮　芦根各四钱　石膏八钱　百合　台乌各三钱　郁金二钱

【制法】　水煮。

【用法】　内服。

【出处】　唐琢成（《中医采风录》第一集）。

【主治】　胃缓痛，喜按，头眩，自汗，吐涎沫者。

【方药】　赤芍　生姜各四钱　茯苓六钱　焦术　党参各三钱　云桂　附片各二钱

【制法】　水煎。

【用法】　内服。

【出处】　吴开富（《中医采风录》第一集）。

【主治】 胃痛，多在饭后发作者。

【方药】 陈皮　枳壳　官桂　荜茇　油朴各五钱　吴萸　小茴　台乌各四钱　蒲公英　小石菖蒲各三钱

【制法】 泡酒。

【用法】 日服三次，每次一杯。

【出处】 杨厚光（《中医采风录》第一集）。

【主治】 腹寒攻胃痛。

【方药】 延胡四钱　灵脂三钱　官桂三钱　炮姜三钱　香附三钱　乳香三钱　没药三钱　枳壳三钱　茴香三钱五分　沉香二钱　酒芍二钱　木香一钱五分　甘草一钱

【用法】 水煎，服三次。

【禁忌】 孕妇忌服。

【出处】 蛟河县高鸣九（《吉林省中医验方秘方汇编》第三辑）。

【主治】 妇女肝气郁滞，肠胃隐隐作痛。

【方药】 当归三钱　川芎一钱半　京三棱二钱　焦莪术二钱　制香附一钱半　乳香一钱半　没药一钱半　广木香一钱

【制法及用法】 上药共研细面，水为丸，每服一钱，开水送下。按病人年龄、强弱服：强者日服二次；弱者日服一次。以止痛为度，不须多吃。

【禁忌】 孕妇忌服。生冷、油腻等物均禁忌。

【出处】 山阴县贾晋宝（《山西省中医验方秘方汇集》第二辑）。

【主治】 妇人胃口痛。

【方药】 官桂三钱 干姜三钱 元胡三钱 沉香三钱 蒲黄三钱 紫蔻仁五钱 木香三钱 乳香二钱 香附三钱 苍术三钱 厚朴三钱 炙草一钱

【用法】 共为细末，每服三钱。

【出处】 庞各庄医院黄文明（《祁州中医验方集锦》第一辑）。

【主治】 胃气痛（胃肠神经痛）。

【取穴】 承山（双）、足三里（双）、内关（双）。

【手法】 承山、足三里进针一寸，内关进针五分。重刺后捻针一分钟，留针十至十五分钟，每隔五分钟捻针一次。

【治验】 ①应某某，男，二十一岁，急性发作呕吐腹痛，逐渐加剧，号叫不安，检查体温正常，脉搏频数，舌有薄苔，腹壁稍为紧张，无显著压痛处，未经用任何药物，取上穴位重刺后，患者全身均感麻胀，留针十五分钟，疼痛逐渐停止。

②陈某某，男，六十五岁，因腹泻而引起胃痛，阵痛性发作，延续一日，曾使用药物治疗未效，改用针刺，留针二十分钟，疼痛停止。

【出处】 江西省荣誉军人疗养院肖大刚（《锦方实验录》）。

【主治】 胃痛，呕吐不止。

【取穴】 主穴：内关（双）、中脘、足三里（双）。配穴：肝俞、胃俞、通关、梁门（双）。

【手法】 强刺激，留针二十至三十分钟，每日针一至三次。

【治验】 刘某某，胃部剧痛，呕吐不止，食入即吐，医治无效，经针内关、中脘，呕吐、胃痛即止，再针三里、通关，即能进食，经治三次痊愈。

【出处】 九江刘仲舆（《锦方实验录》）。

二、胃胀

胃胀，多是由于各种病因影响到胃腑，使胃气不能正常和降，气机停滞于胃脘所致。主要症状有胃脘痞闷、饱胀，甚至疼痛，多伴有嗳气，排便排气后则胃胀稍减。

胃胀如果反复发作，应及时治疗。

【主治】 胃停水，满闷不舒。

【方名】 禹功散

【方药】 黑白丑　小茴香（炒）　广木香各等分

【制法】 共为细面，每服三钱。

【用法】 白水送下（服药后胸中泻水为度）。

【出处】 丰宁县丁树楠（《十万金方》第十二辑）。

【主治】 胃脘胀满疼痛。

【方药】 泄热散：桃仁五十粒　大黄四两　甘草二两　芒硝（火炒）二两

【用法】 共为细末，每服二钱至四钱。

【禁忌】 生冷硬物。孕妇忌服。

【出处】 怀德县邹洪迅（《吉林省中医验方秘方汇编》第三辑）。

【主治】 胸闷，胀饱。

【方药】 沉香三钱　香附五分　灵芝四钱　二丑各一两　牙皂三钱

【制法】 共为末，醋糊为丸，小豆大。

【用法】 每服二钱，白开水送下，早晚各服一次。

【出处】 抚宁张西林（《十万金方》第十二辑）。

【主治】 胃内胀满不畅，不能消化。

【方药】 消胀散：鸡内金一两　沉香三钱　砂仁三钱　川朴三钱　元胡三钱

【用法】 共为细末，每服一钱，姜汤送下。

【出处】 魏辅成（《吉林省中医验方秘方汇编》第三辑）。

【主治】 胃部胀满，郁积不化，疼痛难忍。

【方药】 二丑二两　蒲黄一两　香附一两　灵脂一两　雄黄五钱

【用法】 共为细末，陈醋糊小丸，雄黄为衣。每服二钱，白水送服。

【禁忌】 孕妇忌服。

【出处】 （《吉林省中医验方秘方汇编》第三辑）。

【主治】 胃虚胀满者。

【方药】 三益丸：焦术六钱　云苓四钱　党参四钱　莲子四钱　山药四钱　陈皮四钱　神曲四钱　麦芽四钱　藿香四钱　楂肉三钱　扁豆三钱　芡实三钱　砂仁三钱　薏米三钱　蔻仁二钱　桔

梗二钱　炙草二钱

【用法】 共为细末，蜜丸二钱七分。每服一丸，一日服一次，开白水下。

【禁忌】 油腻生冷及里实而不虚者。孕妇忌服。

【出处】 白城县檀瑞林（《吉林省中医验方秘方汇编》第三辑）。

【主治】 膨闷胀饱，停食不化及胃部作痛，五积六聚等症。

【方药】 三仙丹：二丑各五钱　茵陈五钱　苍术五钱　三棱四钱　莪术四钱　青皮三钱　陈皮三钱　木香三钱　全蝎三钱　天虫三钱　皂角三角　纹军一两

【用法】 共为细末，每服二钱，茶水送下。

【禁忌】 孕妇及体质虚弱者忌服。

【出处】 长春高士贤（《吉林省中医验方秘方汇编》第三辑）。

【主治】 胃中郁滞不畅。

【方药】 舒郁理气散：焦术五钱　云苓四钱　青皮四钱　厚朴三钱　广皮三钱　枳壳三钱　焦榔三钱　内金三钱　炙军三钱　焦楂三钱　麦芽三钱　神曲三钱　莱菔子三钱　蔻仁二钱　桔梗二钱　香附二钱　元胡一钱半　良姜一钱五分

【用法】 共为细末，每服二钱。

【出处】 李云阶（《吉林省中医验方秘方汇编》第三辑）。

【主治】 痞积攻胃，胀满疼痛，消化不良。

【方药】 炒黄连八钱 厚朴五钱 吴萸三钱 黄芩二钱 白术二钱 茯苓二钱 茵陈一钱五分 砂仁一钱五分 人参一钱 泽泻一钱 川乌五分 川椒五分 巴豆霜五分 桂枝五分 炒干姜五分

【用法】 共为细面，蜜小丸如梧桐子大，初服两小丸，一日加一丸，加至大便溏泻时，再一次服两丸。

【加减】 春夏时加黄连五钱。

【出处】（《吉林省中医验方秘方汇编》第三辑）。

【主治】 膨胀饱闷。

【方药】 陈皮 莪术 官桂 二丑 茴香 川椒 干姜 青皮 川芎 巴豆霜各等分

【制法】 共研细末，面糊为丸如绿豆大。

【用法】 大人八丸，小人四丸，白水送下。

【出处】 束鹿县王子华（《十万金方》第一辑）。

三、胃溃疡

胃溃疡属于消化性溃疡的一种。上腹部疼痛是胃溃疡的主要症状，多位于上腹部，也可出现在左上腹部或胸骨、剑突后，疼痛多在餐后1小时内出现，经1~2小时后逐渐缓解，直至下餐进食后再复现上述状况。部分患者可无症状，或以出血、穿孔等并发症作为首发症状。

【主治】 嘈杂吞酸。
【方药】 莱菔面（炒）四两
【制法】 研成细末。
【用法】 每服一钱，一日三次，食后服，服尽则愈。
【出处】 沽源县（《十万金方》第六辑）。

【主治】 胃酸肚痛。
【方名】 胃酸肚痛方
【方药】 鸡蛋壳（研细末）
【用法】 每日服三四钱，菜水送下。
【出处】 安国县王玉振（《十万金方》第十二辑）。

【主治】 胃溃疡。

【方药】 万年松（俗名卷柏）二两

【用法】 耐心洗净并切细，炖猪肚或猪肉，分两三次服。连续服两次至三次有效。

【出处】 八〇五一部队民工大队七中队陈吉官（《福建省中医验方》第三集）。

【主治】 胃溃疡。

【方药】 海螵蛸（去皮）

【制法】 为细末。

【用法】 每服三钱，用陈皮一钱、丁香五分、木香五分，煎水送服，每日服三次。

【加减】 如大便秘，可加贝母三钱，麻仁三钱。

【禁忌】 醋糖及难消化食物、刺激性东西。

【提示】 服三日后，大便不见血，病症见轻，可减量至二钱。

【出处】 洛专李振华（《河南省中医秘方验方汇编》续一）。

【主治】 慢性胃痛及胃溃疡。

【方药】 蚌蜊壳

【制法】 将壳煅存性，研极细末。

【用法】 每次服一钱，开水送下，饭前饭后均可服，日服三次。常服有效。

【出处】 商城赵俊卿（《河南省中医秘方验方汇编》续二）。

【主治】 急慢性胃溃疡。并可治高血压、咳嗽等病。

【方药】 黄蒿（即农村中作蒿叶馍馍的黄蒿）

【用法】 采取大量淘洗干净，经常煎水服用。

【出处】 重庆市第一中医院（《四川省中医秘方验方》）。

【主治】 胃溃疡。

【方药】 甘草

【用法】 研细粉，与适量水蒸熟后，连汤、连粉口服。一次五克，一日三次，三日为一疗程。

【提示】 20个胃溃疡病例，其中14例壁龛多在3周内消失，占70%；临床方面有显著进步者18例，占90%。

【出处】 上海第二职工医院（《中医名方汇编》）。

【主治】 慢性胃溃疡，胃出血。

【方药】 石决明五钱

【制法】 煅，研末。

【用法】 每次用开水冲服一钱，每日二至三次。

【出处】 孝感专署（《湖北验方集锦》第一集）。

【主治】 胃溃疡。

【方名】 瓦楞子汤

【方药】 瓦楞子三钱　钟乳石三钱　乌贼骨三钱　公英三钱　甘草三钱

【制法】 水煎。

【用法】 内服，一剂即效，三十剂痊愈。

【出处】 石家庄市胡东樵（《十万金方》第二辑）。

【主治】 胃溃疡。
【方药】 海螵蛸
【制法】 去皮为面。
【用法】 每服三钱，日服三次，每次用陈皮一钱、丁香五分、木香五分，煎水送服，服三日后，大便不见血，病症见轻，可改服二钱，再几日后，可再减量，服药后大便有小白点。
【加减】 如大便秘，可加贝母三钱，麻仁三钱。
【出处】 洛专李振华（《河南省中医秘方验方汇编》续一）。

【主治】 胃痛（胃溃疡）。
【方药】 乌贼骨（木鱼骨）五分　正二梅片五分
【用法】 共研细末，分两次用开水吞服。
【出处】 施古和（《崇仁县中医座谈录》第一辑）。

【主治】 胃溃疡。
【方药】 海螵蛸八钱五分　象贝母一钱五分
【制法】 共为细末。
【用法】 一日三次，白水送下。
【出处】 宁晋县杨铭斋（《十万金方》第三辑）。

【主治】 饭后烧心，嘈杂吞酸。
【方名】 左金丸

【方药】 黄连三钱　吴萸三钱

【制法】 共为细末。

【用法】 每服一钱，白水送下，每饭后服之。

【出处】 涞源县李洪云（《十万金方》第六辑）。

【主治】 烧心，烦躁不宁。

【方药】 藕节三钱　红糖三钱

【用法】 水煎服。

【出处】 峰峰县孔现盛（《十万金方》第十二辑）。

【主治】 胃酸过多，胃溃疡。

【方名】 乌贝散

【方药】 乌贼骨八两　浙贝母二两

【制法及用法】 上药共研极细粉，每次服四至八钱，每日服二次，开水吞服。

【禁忌】 若患者无呕吐酸水现象时勿服。

【治验】 在吉安专区医院实习时，中医科肖大夫介绍，经临床病例观察，本方疗效很好。

【出处】 高安浮桥诊所丁情辉（《江西省中医验方秘方集》第三集）。

【主治】 胃溃疡。

【方药】 刺猬皮　胡黄连各二两

【制法】 研末，以蜜为丸。

【用法】 每日服二次，每次服二钱。

【出处】 孝感专署（《湖北验方集锦》第一集）。

【主治】 胃溃疡（即呕血）。

【方药】 嫩白藕一斤　白砂糖四两

【制法】 不去藕皮捣汁，和入白砂糖搅匀成汁。

【用法】 随时服用。

【出处】 西安市中医进修班张奎选（《中医验方秘方汇集》）。

【主治】 慢性胃溃疡（胃酸过多，大便不正常）。

【方药】 乌贼骨八两五钱　贝母一两五钱

【用法】 共研细末，每日早各服一次，每次一钱半，饭后白开水送服。

【提示】 不论新旧，经二三星期都有疗效。

【禁忌】 生冷及不易消化食物。

【出处】 李自正（《中医验方汇编》）。

【主治】 胃溃疡（胃部疼痛，食欲不振，有时伴吐）。

【方药】 大黄五钱　川黄连五钱　石灰一斤

【制法】 三味混合，在炒锅内炒成粉红色。

【用法】 每服三钱，早晚二次。

【出处】 阳城王家珍（《山西省中医验方秘方汇集》第三辑）。

【主治】 胃溃疡。

【方药】 乌贼骨八钱　川贝母五钱

【用法】 研细末，每次服五分，食前温开水冲下，一日三次。

【出处】 孙林卿（《大荔县中医验方采风录》）。

【主治】 胁间作痛，吞酸呕吐，胃溃疡等。

【方药】 黄连三两　龙胆草三两　吴茱萸一两

【制法及用法】 上药共研细末，炼蜜为丸，每丸二钱重。用开水冲下，一日两次。

【出处】 （《青海中医验方汇编》）。

【主治】 胃溃疡。

【方药】 海螵蛸五钱　汉三七五钱　没药三钱

【用法】 共为细面，每服一钱，一日二次，白水送服。

【出处】 吉林师大周兰泽（《吉林省中医验方秘方汇编》第三辑）。

【主治】 胃溃疡。

【方药】 海螵蛸散：海螵蛸三两　三七五钱　甘草二两

【用法】 共研细末，每服一钱，一日三次，温开水冲服。

【出处】 西宁中医院马海如（《中医验方汇编》）。

【主治】 胃溃疡。

【方药】 西滑石一两　伏龙肝一两　五倍子二钱　甘草五钱

【制法】 共为细末。

【用法】 用阿胶水冲服，每次五钱。

【出处】 刘鸣硕（《河南省中医秘方验方汇编》）。

【主治】 胃溃疡。

【方药】 鸡内金三钱 山柰二钱 川连一钱 丹参三钱 石菖蒲一钱 生乳香一钱

【用法】 水煎服。

【出处】 莆田县李健颐（《福建省中医验方》第三集）。

【主治】 胃痛吐血（属溃疡者）。

【方药】 生地二钱 丹皮二钱 赤芍三钱 黄连一钱半 条芩一钱半 侧柏三钱 茅根三钱 知母二钱 元参三钱 黄柏一钱 犀角一钱半

【用法】 水煎服。

【加减】 吐血成块者，加大黄、桃仁。

【出处】 西宁市卫协秦友三（《中医验方汇编》）。

【主治】 胃溃疡。

【方药】 海螵蛸 贡胶 藕节 广皮 丁香 建莲 山药 云苓 内金 甘草各三钱 大贝一钱半 清夏二钱

【制法】 水煎。

【用法】 内服。每日兼服：海螵蛸八钱，大贝二钱为末，每次一至二钱，白水送下，日服二至三次，连服月余，即除根。

【加减】 大出血后，加台参、当归、箭芪、枣仁各三钱。

【治验】 ××村鲍某某爱人患胃溃疡，服汤三剂，后改为散剂，月余痊愈。

【出处】 武邑县史振铎（《十万金方》第一辑）。

【主治】 心腹疼痛，呕吐酸水，心中发热（烧心），服之立效。

【方药】 广砂仁　紫油桂　吴茱萸　益智仁　广木香　紫豆蔻　大熟地各等分

【制法】 以上共为细末，炼蜜为丸，二钱重。

【用法】 每服一丸，重者二丸，白水送下。

【出处】 （《十万金方》第三辑）。

【主治】 慢性胃溃疡。

【方药】 山羊血　丁香　沉香各五分　胡椒七个　莲肉　银杏　龙眼肉各七个

【用法】 共捣为末，加蜜调匀成块状，装入鸡腹内（鸡除去脚翅与内脏），隔水炖熟服之。连服三至四次。

【出处】 漳浦县陈忠信、建瓯县黄良梓（《福建省中医验方》第二集）。

【主治】 胃溃疡。

【方药】 丹参五钱　白檀香一钱五分　砂仁一钱五分　高良姜一钱　当归身二钱　白芍药二钱　乌药二钱　玄胡索二钱

【用法】 水煎服。

【出处】 莆田县李健颐（《福建省中医验方》第三集）。

【主治】 胃溃疡（腹部剧烈疼痛，呕吐，并有血液，饮食减少，失眠）。

【方药】 川黄连一钱半　黄芩三钱　半夏三钱　干姜六分　生草一钱　乳香二钱　没药三钱　炒灵脂六钱　当归四钱　丹参七

钱　阿胶三钱

【用法】　水煎服。

【治验】　张某某，男，57 岁，钉碗工人，山西五台人。于 1956 年阳历七月间，腹部剧烈痛，伴有呕吐，且晡后疼痛更剧，两三日大吐一次，混有多量血液，九月以后，卧床不起，饮食少进，夜不安寐，多方医治无效。1957 年正月初诊，面色黄褐晦暗，两目枯陷无神，脉象虚大而数，舌苔黄腻，上腹疼痛特甚。诊断：胃溃疡（幽门痛）。处置：先给苏打粉，分两次服，随服上方一剂，当晚疼痛呕吐消失，入睡尚好，连服三剂，饮食增加，自能起床。原方去灵脂、阿胶，加党参，又服三剂，痊愈。

【出处】　定襄张公美（《山西省中医验方秘方汇集》第三辑）。

【主治】　胃痛（胃溃疡、胃酸过多）。

【方名】　胃痛方

【方药】　上桂五钱　香元二钱　佛手片二钱　公丁一钱　香附二钱　小茴三钱　桂枝一钱　吴萸二钱　厚朴二钱　砂仁二钱　老蔻二钱　广香二钱　法罗海二钱　黄连八分　川芎二钱

【用法】　研细末，每次服一钱。

【提示】　此辛香开泄、苦辛通降之复法，有健胃、镇痛、制酸作用，惟药性偏于温燥，凡胃病而见机能亢奋之急性炎症现象者，本方不宜服用。

【出处】　刘纬俊（《成都市中医验方秘方集》第一集）。

【主治】 胃溃疡。

【方药】 乌贼骨八钱 正尖贝八钱 巴豆霜二钱 赤石脂六钱 台乌药二两 五灵脂八钱 白及三两 二梅片五钱 元胡索一两 小茴香六钱 广木香二钱 牡蛎粉八钱

【制法及用法】 将上药共研细末，采取发现石灰壁五两，灶心土五钱，煎浓汁筛成丸，绿豆大，每日服二次，每次服二钱，早晚空心服之，开水冲服。

【治验】 金×民，男，三十八岁，患溃疡病甚严重，不思饮食，食即满痛，甚至呕吐，骨瘦如柴，经多医治疗无效，服此丸二星期后，病情减轻一半，可进饮食，服至三星期，基本告愈。

【出处】 于都县文教卫生局袁文斐（《锦方实验录》）。

【主治】 胃溃疡

【方药】 乌贼骨五钱 赤石脂三钱 巴豆霜五分 西砂仁二钱 冰片二分 广木香一钱半 白及三钱 酒军二钱 台乌二钱 五灵脂二钱

【制法及用法】 上药共研细末，每日服二次，每次服一钱，连服三日愈。

【提示】 服后心下难过、呕吐酸水者，吃开水一杯即止。

【出处】 安福李畴福（《江西省中医验方秘方集》第三集）。

【主治】 胃溃疡。

【方药】 乌贼骨五钱 赤石脂三钱 台乌二钱 白及三钱

西砂仁二钱　广木香一钱半　冰片二分　酒军二钱　五灵脂二钱　巴豆霜五分

【用法】共研细末，每日二次，每次一钱，连服三日。

【提示】本方由医生掌握使用。

【出处】江西东乡（《中医名方汇编》）。

【主治】胃痛（胃溃疡）。

【方药】赭石六钱　大黄二钱　牛膝二钱　山栀二钱　桃仁二钱　仙鹤草六钱　藕八片　三漆一钱

【制法】水煎浓汁，三漆另研末。

【用法】以药汤冲三漆末服。

【出处】孝感专署（《湖北验方集锦》第一集）。

【主治】胃病，一切郁热疼痛停食均治。

【方药】化滞丸：巴豆霜一钱　黄连三钱　半夏三钱　三棱二钱　莪术二钱、木香二钱　陈皮一钱　青皮一钱　丁香一钱

【用法】共为细末，蜜丸，每服三分至五分。

【禁忌】孕妇忌服。

【出处】孙耀先（《吉林省中医验方秘方汇编》第三辑）。

【主治】胃溃疡。

【方名】治胃溃疡方（自创）

【方药】毛苍术三钱　姜朴二钱　陈皮二钱　枳壳二钱　公英一钱半　地丁一钱半　乳香二钱　没药二钱　藿香二钱　贝母三钱　海螵蛸二钱　银花三钱　牛子　生地　丹皮　青皮　川军　桔

梗　甘草各二钱

【加减】 口渴加花粉三钱，呃逆加赭石三钱、竹茹二钱。

【用法】 水煎服。

【治验】 患者张长泽，男，46岁，得此病经服本方三剂而愈。

【出处】 冀县康兴翰（《十万金方》第二辑）。

【主治】 胃寒停时，痰积，心腹满闷胀疼，痃癖气块等。

【方药】 均青皮　陈皮　三棱（炒）　莪术（炒）　广木香　黑丑　白丑　小茴香（炒）　巴豆霜各五钱

【制法】 将上药用米炒之，以米黑为度，去米不用，研为细末。醋煮米糊为丸，如绿豆大。

【用法】 每次服七至十粒。日服一次。

【出处】 易县　伊召棠（《十万金方》第六辑）。

【主治】 胃溃疡，胃痛剧烈，呕吐，有时吐血黑暗色，或灰褐色，质重，常在食后疼痛，舌红能食，重症大便发黑，大吐血时，常致晕倒。

【方药】 党参八钱　白术四钱　云苓六钱　甘草三钱　赤芍三钱　牡蛎三钱　乳香三钱　没药三钱　砂仁三钱　山药五钱　玉米六钱

【制法】 水煎。

【用法】 早晚服。

【出处】 洛专张学魁（《河南省中医秘方验方汇编》续

一）。

【主治】 胃痛。

【方药】 当归三钱　白芍三钱　五灵脂三钱　川郁金三钱　醋军二钱　姜连二钱半　建曲一钱

【制法】 水煎。

【用法】 内服。

【出处】 长垣范金相（《河南省中医秘方验方汇编》续一）。

【主治】 胃溃疡，慢性胃炎。

【方药】 佩兰叶三钱　檀香三钱　香佛手二钱　香圆三钱　广木香一钱半　公丁香二钱　砂仁壳三钱　沉香（两次冲）五分　盐茱萸一钱半　焦内金二钱　白蔻仁一钱　焦建曲三钱

【用法】 水煎服。

【提示】 一派芳香化腐、温胃降逆之品，对治慢性胃炎、胃溃疡可以有效。

【出处】 西安市中医学会会员姚树棠（《中医验方秘方汇集》）。

【主治】 消化性溃疡。

【方药】 蜜银花二钱五分　枸杞果二钱五分　寸冬二钱　黄芪二钱　公英二钱　连翘二钱　焦槟榔二钱　沙参二钱　建曲二钱　君子肉二钱　地丁一钱　枳实一钱　甘草一钱　煨三七面九分（均三包）

【用法】 水煎服三次，每次冲三七面一包，随药服下。

【出处】 九台县娄瑛春（《吉林省中医验方秘方汇编》第三辑）。

【主治】 胃溃疡。

【方药】 当归五钱 浙贝五钱 乌贼骨三钱 茴香二钱五分 灵脂二钱 延胡二钱 乳香一钱五分 没药一钱五分

【用法】 共为细面，每服一钱，早晚各服一次。

【治验】 经用本方，历经两周逐渐好转，疗效达 80% 以上。

【出处】 珲春县中医院（《吉林省中医验方秘方汇编》第三辑）。

【主治】 胃溃疡。

【方药】 人参二钱 白术二钱 甘草二钱 陈皮二钱 蔻仁二钱 茯苓三钱 半夏三钱 海螵蛸三钱 浙贝一钱五分 百合五钱

【用法】 先为煎剂服之，至收效后按本方配成散剂，每次服一钱五分，一日三次。

【禁忌】 孕妇忌服。

【出处】 崔向荣（《吉林省中医验方秘方汇编》第三辑）。

【主治】 胃溃疡。

【方药】 银花一两二钱 浙贝一两 当归一两 郁金五钱 黄连五钱 丹皮五钱 生地五钱 三七三钱 生鸡蛋壳内白皮三十个

【用法】 共为细面，每服一钱，白水送服。

【禁忌】 孕妇忌服。

【出处】 (《吉林省中医验方秘方汇编》第三辑)。

【主治】 胃溃疡。

【方药】 当归三钱 熟地三钱 白芍三钱 黄芩三钱 黄连三钱 黄柏三钱 丹皮三钱 川芎二钱 蒌仁四钱

【用法】 水煎，服三次。孕妇忌服。

【加减】 大便困难，加大黄三钱。

【出处】 李子芳(《吉林省中医验方秘方汇编》第三辑)。

【主治】 胃溃疡。

【方药】 乌贼骨八钱 正尖贝八钱 巴豆霜二钱 赤石脂六钱 台乌药二两 五灵脂八钱 白及三两 二梅片五钱 元胡索一两 小茴香六钱 广木香二钱 牡蛎粉八钱

【制法及用法】 将上药共研细末，加灶心土五钱，煎浓汁筛成丸，绿豆大。每日服二次，每次服二钱，早晚空心服之，开水冲服。

【治验】 金×民，男，三十八岁，患溃疡病甚严重，不思饮食，食即满痛，甚至呕吐，骨瘦如柴，经多医治疗无效。服此丸二星期后，病情减轻一半，可进饮食；服至三星期，基本告愈。

【出处】 于都县文教卫生局袁文斐(《锦方实验录》)。

【主治】 胃溃疡。

【方药】 酒炒二地各三钱 薤白二钱 公英三钱 丹参四钱

没药三钱　炒银花四钱　薏米四钱　土炒白芍四钱　桔梗一钱半　代赭石四钱　炙覆花二钱　川连（吴萸水炒）一钱　桃仁二钱　杏仁二钱　甘草一钱　阿胶二钱　血余炭二钱　龟板二钱　败酱三钱　血竭二钱

【用法】 水煎服。

【提示】 胃溃疡为呕血症，但初起并不呕血，然大便下黑色，即为有出血之征，胃痛为应有之现象，压迫痛处则更加剧，且以背部脊椎左侧之压痛点为本病特征。呕吐为必有症状，多发于食后，吐出物概为酸性，且含血液，嗳气嘈杂，胸闷胀满，大便秘结，舌赤滑泽，口渴，溃疡，初起尚易治愈，若穿孔或大量吐血则属危险，药物治疗，虽为必要，必需饮食调养。

【治验】 本方屡试有效。煤建公司谢主任，于去年春患此症，吐血胃疼，百治无效，用本方四剂，痊愈。

【出处】 安国霍超群（《祁州中医验方集锦》第一辑）。

四、胃炎

胃炎是指各种原因引起的胃黏膜炎症，为最常见的消化系统疾病之一。按临床发病的缓急，可分为急性和慢性胃炎两大类。

胃炎需要积极治疗，否则可能转化为慢性胃炎。慢性胃炎中的萎缩性胃炎，有发生癌变的可能。

【主治】 一切急性胃炎，呕吐及妊娠恶阻。
【方药】 连翘五钱
【用法】 煎服。
【出处】 长沙市中医吴亦仙（《湖南省中医单方验方》第二辑）。

【主治】 胃炎（呕吐不止）。
【方药】 蓊窝泥（即螟蛉土）三钱
【用法】 煎汤，去浮面的油层，内服。
【出处】 霞浦县黄少杰（《福建省中医验方》第二集）。

【主治】 胃炎（呕吐不止）。
【方药】 橘皮六分　白米二十粒

【用法】 水煎，冲姜汁服。

【出处】 南安县卫生工作者协会（《福建省中医验方》第二集）。

【主治】 急性胃炎。

【方药】 二丑一两　芒硝一两　元胡一两

【用法】 共研细末，每服二钱，每日二次，白开水服。

【禁忌】 孕妇忌服。

【出处】 青海石油职工医院武兴亚（《中医验方汇编》）。

【主治】 急性胃炎，胃部有压痛，大便不畅者。

【方药】 大黄四钱　冬瓜仁三钱　细辛　附子各二钱　若吐沫加槟榔、乌梅各三钱。

【制法】 水煮。

【用法】 内服。

【出处】 任崇华（《中医采风录》第一集）。

【主治】 慢性胃炎，胃酸过多。

【方药】 黄连一钱　广吴萸一两　木香五钱　甘草一钱　冰硷五钱

【用法】 共研细末，每服一钱半，每早空腹，开水冲服。

【出处】 湟中中医进修班（《中医验方汇编》）。

【主治】 慢性胃炎。

【方药】 四制香附子一两五钱 去土五灵脂一两五钱 生熟牵牛子一两五钱

【用法】 共研细末，每服二三钱，开水送服。

【禁忌】 寒甚者，加炮姜或良姜。

【禁忌】 孕妇忌服。

【出处】 湟中中医进修班（《中医验方汇编》）。

【主治】 慢性胃炎，呕吐。

【方药】 吴茱萸三钱 生姜三钱 党参二钱 法夏二钱 川朴二钱 大枣三枚

【用法】 用水二茶杯，煎至一茶杯，清出去渣，饭前温服。隔三小时，渣再煎服。

【出处】 （《青海中医验方汇编》）。

【主治】 急性胃炎，呕吐不止。

【方药】 京半夏五钱 川黄连八钱 云苓三钱 广皮二钱 炒香附三钱 砂仁二钱 粉甘草五分

【用法】 水煎，缓缓服之，小儿酌减。

【出处】 西安市中医进修班段淑英（《中医验方秘方汇集》）。

【主治】 慢性胃炎，胸满痛彻背，大便干燥者。

【方药】 瓜蒌仁五钱 厚朴三钱 枳壳三钱 丹参五钱 檀香五钱 砂仁一钱 甘草一钱

【用法】 每日煎服一剂。

【出处】 嘉禾中医曾景华（《湖南省中医单方验方》第二辑）。

【主治】 慢性胃炎与痉挛性胃痛。

【方药】 白芍一两　红胡二钱　乳香一钱　没药一钱　苍术三钱　栀仁二钱　甘草一钱

【用法】 煎服。

【出处】 宁乡中医黄振坤（《湖南省中医单方验方》第二辑）。

【主治】 急性胃炎（饮食喜热，恶冷者）。

【方药】 高良姜钱半　醋香附三钱　川郁金二钱　焦山楂四钱　砂仁一钱半　广木香（冲服）一钱　元胡二钱　川楝子三钱　炙草一钱半

【用法】 大枣三个去核为引，水煎服。

【出处】 山西省中医学校门诊部张敬武（《山西省中医验方秘方汇集》第三辑）。

【主治】 慢性胃炎（饮食喜热，恶冷者）。

【方药】 焦白术三钱　怀山药三钱　良姜一钱半　醋香附三钱　茯苓四钱　广陈皮三钱　炙草一钱半

【加减】 疼痛剧烈，加制乳香、制没药各二钱；大便稀薄者，可加肉豆蔻二钱、车前子二钱（另包）。

【出处】 山西省中医学校门诊部张敬武（《山西省中医验方秘方汇集》第三辑）。

【主治】 急性胃炎，呕吐不止。

【方药】 黄芩二钱 白芍三钱 甘草二钱 藿香二钱 生姜一钱 法夏二钱 大枣四枚 川朴一钱半 木香一钱 元胡二钱

【用法】 用水二茶杯半，煎至多半茶杯，清出去渣，饭前温服。隔三小时，渣再煎服。

【禁忌】 孕妇忌服。

【出处】 （《青海中医验方汇编》）。

【主治】 急性胃炎，痞满疼痛呕吐。

【方药】 旋覆花二钱 代赭石一钱半 法夏二钱 党参三钱 生姜一钱 炙草二钱 大枣三枚 黄连二钱 元胡二钱

【用法】 用水二茶杯半，煎至多半茶杯，清出去渣，饭前温服。隔三小时，渣再煎服。

【禁忌】 孕妇忌服。

【出处】 （《青海中医验方汇编》）。

【主治】 慢性胃炎，膨满呕吐。

【方药】 藿香二钱 法夏二钱 干姜一钱半 白术二钱 党参三钱 炙草一钱半 川朴二钱 香附（研）三钱 砂仁二钱 元胡（研）二钱

【用法】 用水二茶杯，煎至一茶杯，清出去渣，饭前温服。隔三小时，渣再煎服。

【出处】 （《青海中医验方汇编》）。

【主治】 急慢性胃炎，胃脘疼痛剧烈，以及急性肠炎、腹痛痢疾等。

【方药】 千金五香丸：毛茨菇四钱　五倍子三钱　雄黄二钱　千金霜二钱　西红花二钱　降香二钱　檀香二钱　红芽大戟三钱　沉香一钱　伽南香一钱　梅片一钱　东牛黄一分　台麝一分

【用法】 共为细末，江米糊为小丸，绿豆大，朱砂为衣（千金霜必须去净油，否则发生呕吐）。成人每服二十丸，一日二至三次，白水送下。

【禁忌】 孕妇忌服。

【出处】 绥化县吕效临（《吉林省中医验方秘方汇编》第三辑）。

【主治】 急慢性胃炎。

【方药】 消炎散：川军五钱　香附五钱　十开蔻四钱　榔片四钱　砂仁四钱　广木香五钱　二丑八钱

【用法】 共为细末，每服三分至五分。

【禁忌】 孕妇忌服。

【出处】 霍国贤（《吉林省中医验方秘方汇编》第三辑）。

【主治】 急、慢性胃炎，胃酸过多，消化不良，胃溃疡及小儿食积症。

【方药】 藿香三两　川朴三两　甘草三两　白芍三两　陈皮三两　滑石三两　苍术三两　羌活一两八钱　硫酸镁一两五钱　重碳酸钠一斤

【用法】 共为细末，每服三钱。如有便秘时，在第一次服时加硫酸镁（泻利盐）一钱五分，小儿酌减。每日三次，饭后服，酒引开水下。

【禁忌】 孕妇忌服。

【出处】 农安县陈亚东（《吉林省中医验方秘方汇编》第三辑）。

【主治】 急慢性胃炎，胃痛、胃痉挛，兼呕吐者。

【方药】 保愈散：香附四钱　广木香三钱　青皮三钱　乌药三钱　官桂二钱　川附子二钱　良姜二钱　榔片二钱　潮脑一钱

【用法】 共为细末，每服五分至一钱，温凉开水送下。

【禁忌】 切忌热开水冲服，过热则药力挥发而效减。孕妇忌服。

【出处】 德惠县刘级三（《吉林省中医验方秘方汇编》第三辑）。

【主治】 慢性胃炎。

【方药】 降香　桔梗　瓜壳　栀子　淡豆豉　延胡各三钱　郁金一钱　黄连二钱　青葱三根　柑子叶五疋

【制法】 水煎。

【用法】 内服。

【出处】 王心一（《中医采风录》第一集）。

【主治】 急慢性胃炎，消化不良，嗳气痞满，胃酸过多，呕吐，或阵发性痉挛痛等症。

【方药】 党参二钱　胆草二钱　川朴二钱　陈皮二钱　半夏二钱　茯苓四钱　白芍三钱　芦根三钱　黄连一钱半　干姜一钱半

甘草一钱　竹茹一钱

【加减】 有冷热兼表者，加桂枝、粉葛；阴虚发热者，加鳖甲、青蒿；呕逆者，加赭石、覆花；寒多者，重用干姜；热多者，重加黄连；便秘者，加大黄、枳实；气滞者，加木香。

【用法】 水煎服。

【禁忌】 孕妇忌服。

【出处】 四平市杨青山（《吉林省中医验方秘方汇编》第三辑）。

五、胃下垂

胃下垂是由于膈肌悬力不足、支撑内脏器官的韧带松弛，或腹内压降低、腹肌松弛导致。

轻症胃下垂几无症状，重症常可出现持续性隐痛、腹胀及上腹不适、恶心呕吐，甚至便秘。

【主治】 胃扩张，胃下垂。

【方药】 黄芪一两　冬虫夏草五钱

【用法】 共研细末，每服三钱，一日二次，开水送服。

【出处】 西宁中医院何文德（《中医验方汇编》）。

【主治】 胃下垂。

【方药】 黄芪一两　焦术三钱　川朴二钱　枳壳一钱半　草果仁二钱　大腹皮三钱　广木香一钱半　党参三钱　肉蔻三钱　砂仁一钱半　干姜一钱半　升麻一钱

【加减】 有炎者，加半夏、陈皮；恶心呕者，加藿香；少腹寒者，加艾叶、小茴香；消化不良者，加鸡内金。

【用法】 水煎温服，轻者三剂，重者五剂收效。

【治验】 阴桂芝，女，三十六岁，河北涉县人，病历

5026，症状：小腹胀满，食后有如下坠深渊之感，走路下坠特甚。检查：腹壁平坦，胃扣浊音，小腹高隆，叩呈鼓音，服本方八剂全愈。以本方治疗四例，均获痊愈。

【出处】 山西省中医学校门诊部李生华（《山西省中医验方秘方汇集》第三辑）。

【主治】 胃下垂。

【方药】 党参四钱　黄芪五钱　升麻一钱半　白术三钱　陈皮二钱　茯苓四钱　炙甘草一钱半　砂仁一钱半　法半夏二钱　白芍二钱

【用法】 水煎服，一日三次。

【出处】 西宁中医院章承启（《中医验方汇编》）。

六、一切胃病

胃病，是一切与胃相关疾病的统称，常见的胃病有胃炎、胃溃疡、胃下垂、胃扩张、幽门梗阻、胃的良恶性肿瘤等等。

胃病都有相似的症状，如胃脘部疼痛不适、饭后饱胀、嗳气反酸，甚至恶心、呕吐等等。

【主治】 吐酸水或胸部发烧，一切胃病均治。

【方名】 水火散。

【方药】 川黄连　吴茱萸各四两

【制法】 上药共为细末。

【用法】 内服：每日三次，每饭后半小时服一钱，白水送下，连服数日。

【出处】 武邑县吕金升（《十万金方》第一辑）。

【主治】 多年老胃病。

【方药】 隔山消二两　鸡屎藤三钱

【制法】 取隔山消炖猪肚脐肉（割过卵巢的母猪肉）一斤，另将鸡屎藤研成细末。

【用法】 用肉汤吞服鸡屎藤末，每次一钱。

【禁忌】 孕妇忌服。

【出处】 胡昌岐（《贵州民间方药集》增订本）。

【主治】 胃气痛（胃脘痛、呕吐、胃酸过多、胃溃疡及各种急性胃痛）。

【方药】 苏打粉二百瓦　陈石灰十两　枯白矾五钱　生白矾一两

【制法】 先将陈石灰研细，用水漂出细粉和各药共研细。

【用法】 口服每次五瓦，日服三次，屡用有效。

【出处】 商专张长春（《河南省中医秘方验方汇编》续二）。

【主治】 胃肠各症。

【方药】 五灵脂半斤　香附半斤　黑丑一两　白丑一两

【制法及用法】 将以上四味药共研细末，筛过。一半炒熟，一半生用。醋丸如莱菔子大。每日早晚两次，每次一钱，用开水冲服。

【出处】 沁水县杜若藻（《山西省中医验方秘方汇集》第二辑）。

【主治】 胃病。

【方药】 川楝子三钱　元胡一钱　海螵蛸三钱　煅牡蛎三钱　代赭石四钱　冬瓜仁六钱　生白芍四钱　福建曲三钱　白术一钱半　生山药三钱　乌药三钱　当归二钱

【用法】 水煎服，连用二剂。

【出处】 阳原县乐坪（《十万金方》第三辑）。

【主治】 胃病日久，身体虚弱，有时发生疼痛，吐蛔或吐苦水，腹无硬块，胸不痞塞。

【方药】 当归三钱 杭芍三钱 良姜三钱 香附五钱 青皮三钱 灵脂三钱 川乌一钱

【用法】 水煎日服两次，早晚温水送下。

【出处】 涿县雀玉林（《十万金方》第六辑）。

【主治】 胃病。

【方药】 白术二钱 荔核三钱 延胡索三钱 广木香二钱 佛手二钱

【用法】 水煎服。

【加减】 胃酸过多加煨瓦楞一钱，甘草二钱。

【提示】 本方不论神经性或消化性胃病，疗效都达90%以上。

【出处】 江西东乡（《中医名方汇编》）。

【主治】 脾胃虚冷，不能运化，胃脘胀痛满闷等。

【方药】 党参三钱 炙草一钱 炒白术三钱 干姜二钱 香附三钱 元胡三钱 木香一钱

【用法】 用水二茶杯，煎至一茶杯，清出去渣，饭前温服。隔三小时，渣再煎服。

【禁忌】 孕妇忌服。

【出处】 （《青海中医验方汇编》）。

【主治】 胃病闷胀攻冲、吞酸反胃呕吐、噎气不消、胀满胁痛，一切消化不良者。

【方药】 内金散：内金一两　三仙九钱　大黄五钱　苏打五钱　莱菔三钱　枳壳三钱　木通三钱　红参三钱　官桂二钱

【用法】 共为细末，每服二钱，白水送下。

【禁忌】 孕妇忌服。

【出处】 （《吉林省中医验方秘方汇编》第三辑）。

七、烧心反酸

烧心反酸是一种常见的消化道症状，当胃酸过多时，酸性分泌物会刺激胃黏膜，引起返酸，并让人有烧心的感觉。

临床研究发现，很多胃病都与胃酸分泌有关。所以，反酸有时不只是症状，而是胃部疾病的反映，需要及时就医。

【主治】 胃燥（常有烧心感觉）。

【方药】 落花生仁

【用法】 炒熟嚼之自愈。

【出处】 孝义吴宝章（《山西省中医验方秘方汇集》第三辑）。

【主治】 烧心。

【方药】 大蒜瓣

【用法】 纳口内咀碎，咽下即愈。

【提示】 本方为民间效方。

【出处】 安国县凤凰堡李福永（《祁州中医验方集锦》第一辑）。

【主治】 胃病（胃内发烧，俗称烧心）。

【方药】 吴萸子三钱　川黄连二钱　肉豆蔻二钱

【用法】 水煎冷服。

【出处】 岚县杨士俊（《山西省中医验方秘方汇集》第三辑）。

【主治】 胃病（腹满膨胀，烧心吐酸）。

【方药】 吴茱萸一两　川黄连四钱　炮姜一两

【用法】 上药共研细末，制成小丸，每服二钱，开水送下。

【禁忌】 忌食生冷及硬物。

【出处】 太原刘瑞彦（《山西省中医验方秘方汇集》第三辑）。

【主治】 烧心。

【方药】 连轺　内金　川连　红蔻各三钱

【用法】 共为细面，每服二钱，白水送下即止。

【出处】 安国县城关镇医院李鹤鸣（《祁州中医验方集锦》第一辑）。

【主治】 胃酸过多。

【方药】 生牡蛎一两

【用法】 一日量，水煎，一日三次，每次饮一茶杯。

【治验】 本方虽小，屡试有效，特此介绍供同道试用。

【出处】 安国城关镇医院高天佑（《祁州中医验方集锦》第一辑）。

【主治】 恶心吞酸。

【方药】 黄连六钱　吴萸一钱

【制法】 研细末，水泛成丸。

【用法】 每服一钱，开水冲下。

【出处】 路子由（《大荔县中医验方采风录》）。

【主治】 胃酸过多，胃脘痛。

【方药】 大胡壳（煅）四两　食盐（炒枯）一两

【用法】 研末，每用一至二钱，开水吞服。

【出处】 湘阴县中医（《湖南省中医单方验方》第一辑）。

【主治】 胃病，呕酸脘疼。

【方药】 艾叶二两　鸡蛋一斤

【制法】 加水适量，浓煎。鸡蛋同煮，蛋壳裂碎再煮，煮至汁干。

【用法】 每日一次服用鸡蛋一至二只，当点心吃，吃时将蛋温热，连续服用二至三斤。

【提示】 本方曾经报纸介绍，二女孩服用有效，已两年未发，邻居传用均效。

【出处】 杭州市董浩（《浙江中医秘方验方集》第一辑）。

【主治】 胃痛（吐酸）。

【方药】 沉香二钱　海螵蛸一两　蚌壳半斤

【制法】 共研为末。

【用法】 内服，每次服一钱，早晚各一次。

【出处】 孝感专署（《湖北验方集锦》第一集）。

【主治】 胃酸过多。

【方药】 海螵蛸粉五分 川连五分 吴茱萸三分

【用法】 合为细末，分作二次服之。

【出处】 仙游县木兰街复兴路十四号吴彰成（《福建省中医验方》第四集）。

【主治】 胃酸过多（右关沉虚）。

【方药】 苍术一两 猪苓三钱 莪术三钱

【用法】 水煎服。

【加减】 如素有寒湿，酌加吴萸、草蔻、肉蔻，随症加减。

【出处】 崞县郭墉（《山西省中医验方秘方汇集》第三辑）。

【主治】 胃病烧心，逆气上冲。

【方药】 乌梅一个 大枣二枚 杏仁七个

【制法】 共同捣烂。

【用法】 男用酒送下，女用醋送服。

【出处】 河北易县李炳震（《十万金方》第十二辑）。

【主治】 胃微痛，嘈扎吞酸。

【方药】 花椒一钱 橘饼二两 水糖一两

【制法】 以猪边油同蒸。

【用法】 每晨服一剂，连服五晨，有特效。

【出处】 吴开富（《中医采风录》第一集）。

【主治】 胃酸过多。

【方药】 煨豆蔻三钱　焦苍术一钱半　川朴三钱　甘草三钱

【用法】 水煎服。

【出处】 王俊卿（《河南省中医秘方验方汇编》）。

【主治】 胃酸过多，消化不良，恶心呕吐，食欲减退，脉象沉滑。

【方药】 吴茱萸二钱　小茴香一钱　广砂仁二钱　红豆蔻二钱　陈皮一钱半　炮姜炭五分　焦白术二钱　灶心土一钱　鸡内金二钱　焦麦芽二钱　焦谷芽二钱

【制法及用法】 以上各药混合一处，水煎（用水一茶缸煎半茶缸）。一日两次，早晚空心服。

【禁忌】 辛辣、酒及硬物，忌吸烟。

【出处】 昔阳县邵观文（《山西省中医验方秘方汇集》第二辑）。

【主治】 胃痛，吐酸水，饮食不存者。

【方药】 陈皮二钱　半夏三钱　茯苓四钱　甘草一钱　白芍三钱　枳实二钱　吴萸二钱　黄连二钱　栀子二钱　香附三钱　苍术三钱　神曲二钱　生姜三片

【制法】 水煎。

【用法】 内服。

【提示】 本方可试用于胃溃疡。

【出处】 尉氏李子立（《河南省中医秘方验方汇编》续二）。

【主治】 食后作饱、嗳酸吞腐、恶食胸闷、大便渣滓、臭气通鼻、舌苔垢腻、脉沉而实。

【方药】 川朴二钱 南楂三钱 麦芽三钱 苍术二钱 广皮一钱半 神曲二钱 槟榔一钱半 云苓三钱 法夏二钱 甘草八分

【用法】 水煎两次，先后分服。

【出处】 龙克昌（《崇仁县中医座谈录》第一辑）。

【主治】 胃病吐酸，心口痛等症。

【方药】 白术四钱 茯苓三钱 砂仁三钱 元胡三钱 竹茹二钱 川厚朴三钱 半夏三钱 广木香三钱 甘草二钱 丁香二钱

【制法】 水煎三次。

【用法】 一日二次，早晚服之。

【出处】 延庆县连建华（《十万金方》第二辑）。

【主治】 胃酸呕吐。

【方药】 二陈汤：陈皮二钱 半夏二钱 云苓三钱 吴萸一钱半 木香一钱半 黄连一钱半 甘草一钱

【用法】 水煎服。

【出处】 姜正卿（《中医验方汇编》）。

【主治】 胃热吞酸。

【方药】 沙参三钱 延胡二钱 焦栀二钱 楝子二钱 橘红二钱 知母二钱 麦冬二钱 桔梗二钱 法夏二钱 竹茹二钱 川

芎一钱五分　甘草一钱

【用法】　水煎服三次，早晚服之。孕妇忌服。

【出处】　九台县王东林（《吉林省中医验方秘方汇编》第三辑）。

【主治】　胃酸过多。

【方药】　苍术二钱　厚朴二钱　石决二钱　广皮二钱　海粉二钱　牡蛎二钱　甘草一钱

【加减】　有热加焦栀二钱，有湿寒加吴萸一钱，生姜一钱五分。

【用法】　水煎服三次。

【出处】　吉林市邓维滨（《吉林省中医验方秘方汇编》第三辑）。

【主治】　胃酸过多症及慢性胃炎。

【方药】　平胃散加甘松三钱　佛手二钱　生龙骨五钱　煅牡蛎四钱　黄连一钱

【用法】　水煎服三次。

【治验】　经治一百六十多例，均收到良好效果，其中重症，用本方不过六剂而痊瘉。

【出处】　长春中医学院任继学（《吉林省中医验方秘方汇编》第三辑）。

【主治】　胃酸过多症，呕逆嘈杂，胃有压痛，大便秘结。

【方药】　瓦楞子五钱　海浮石　代赭石　旋覆花　丹参

皂子　蚕砂　广皮炭　鸡内金　炒神曲各三钱　枳实炭一钱五分　瓜蒌六钱　元明粉一钱　打薤白二钱　胆草一钱五分　桃仁　杏仁　香附　桔梗各二钱

【用法】　水煎服。

【出处】　唐山市张耀先（《十万金方》第十二辑）。

【主治】　胃酸过多。

【方药】　小海石三钱　瓦楞子　代赭石三钱　覆花二钱　枳实三钱　薤白二钱　糖瓜蒌四钱　朴硝一钱半　炒皂子一钱半　蚕砂二钱　丹参三钱　川连（吴萸水炒）一钱　广皮炭二钱　内金三钱　神曲三钱　桃仁二钱　胆草一钱　炒香附二钱　桔梗二钱

【用法】　煎服。

【治验】　本方治胃酸过多确有效验，特此介绍推广试用。

【出处】　安国县医院霍超（《祁州中医验方集锦》第一辑）。

【主治】　胃酸过多（即俗语烧心）。

【方药】　生木力七钱　三棱三钱　文术三钱　川连三钱　木香二钱　吴萸三钱　红蔻四钱　炒内金四钱　炒丹参五钱　广皮五钱　云苓一两　白片三钱　胆草三钱　香附三钱　良姜三钱　桃杏仁各三钱　赭石五钱

【用法】　水煎服。

【治验】　流双村李小良，男，三十岁，患胃酸过多，经服此药而愈。王奇村刘大川，男，三十五岁，患胃酸数年，服数剂而愈。张庄李金兰，女，三十岁，患胃酸疼多年，经服此药而愈。

【出处】 先锋公社医院李鹤鸣（《祁州中医验方集锦》第一辑）。

八、胃酸过少

胃酸指胃液中分泌的盐酸。胃酸过少，就是胃中缺少盐酸，胃动力不足，影响消化吸收。

胃酸过少的主要症状是消化不良、打嗝及胸口烧痛等，多见于慢性萎缩性胃炎，需要及时治疗。

【主治】 胃酸减少。

【方药】 木瓜一钱半　乌梅炭二钱　五味子一钱　焦山楂三钱　杭芍二钱　白术一钱半　花粉三钱　沙参三钱　佩兰叶三钱　郁金一钱　石斛二钱　党参一钱　玫瑰花一钱半　玳玳花一钱半

【用法】 水煎服。

【治验】 本方屡试屡效。焦庄焦某某，因患此病，由津回家来院就诊，自述食欲不振，胸闷嗳气，先服健胃药无效，余给予乌梅一个令其口含，隔时自觉舒畅，因此给予本方三剂而痊愈。

【出处】 安国县医院霍超群（《祁州中医验方集锦》第一辑）。

九、呃逆

呃逆是指胃气上逆动膈，喉间呃呃连声，声短而频，不能自止为主要表现的病证。中医认为呃逆病位在胃，并与肺有关，有属寒、属虚热、属实三种。

西医学中的单纯性膈肌痉挛即属呃逆，但胃肠神经官能症、胃炎、胃扩张、胃癌等均可出现呃逆，所以呃逆若长时间持续且难以缓解，还需及时就医。

【主治】 呃逆。

【方药】 刀豆皮若干

【用法】 熬水饮之。

【出处】 李兰芝（《河南省中医秘方验方汇编》）。

【主治】 呃逆（俗叫咯路）。

【方药】 炙枇杷叶四两

【用法】 水煎，当茶饮，每次一两，继续服之。

【出处】 孝义吴宝章（《山西省中医验方秘方汇集》第三辑）。

【主治】 呃逆不止。
【方药】 荔枝连皮七枚
【用法】 烧灰存性，白开水调服，立效。
【出处】 宜春卫协分会杨觉愚（《江西省中医验方秘方集》第三集）。

【主治】 呃逆不止。
【方药】 广木　沉香　丁香各二钱
【制法】 共研末，以枣肉捣泥为丸，如梧桐子大。
【用法】 每日三次，每次七丸，含化吞下。
【出处】 孝感专署（《湖北验方集锦》第一集）。

【主治】 呃逆。
【方药】 刀豆子五枚
【制法】 烧存性，研末。
【用法】 开水冲服。
【出处】 孝感专署（《湖北验方集锦》第一集）。

【主治】 呃逆。
【方药】 枇杷叶三钱
【制法】 水煎。
【用法】 分作二次服。
【出处】 孝感专署（《湖北验方集锦》第一集）。

【主治】 呃逆。
【方药】 荔枝核七枚

【制法】 研为细末。

【用法】 开水冲服。

【出处】 大冶县（《湖北验方集锦》第一集）。

【主治】 呃逆。

【方药】 带壳荔枝七个

【用法】 焙干研末吞服。

【提示】 本方见于杨氏《医方摘要》。

【出处】 余杭县验方（《浙江中医秘方验方集》第一辑）。

【主治】 呃逆。

【方药】 陈皮半两

【用法】 清水煎服。

【提示】 陈皮即陈年橘皮，和胃化痰，可治寒呃。

【出处】 江山县汪绣云（《浙江中医秘方验方集》第一辑）。

【主治】 呃逆。

【方法】 葡萄汁或枇杷汁用开水冲饮，立效。先含开水于口中，将手指塞闭鼻耳，然后咽下温开水，少停呼吸，放开手指。若一次不效，可行二三次。

【出处】 吴保罗（《中医验方交流集》）。

【主治】 呃逆（横膈膜痉挛）。

【方药】 生姜自然汁五钱　蜂蜜一两

【制法】 姜汁蜜混合，加开水冲化。

【用法】 内服，一日二三次。

【出处】 唐河杨慈云（《河南省中医秘方验方汇编》续一）。

【主治】 呃逆。

【方药】 党参一两　桔梗三钱

【用法】 煎服，立效。

【提示】 按《医学心悟》载：大病中忽然呃逆，是脾败肝贼，是为胃绝，其症多难治。刘位卿用独参汤合乌梅大剂与之，犹可挽回，此方面曾经试验有效。而胃虚呃逆，有橘皮竹茹汤内重用人参一两，且因寒戕中气呃逆，有丁香柿蒂人参生姜汤。本方用独参汤加去肺热、消气促嗽逆之桔梗，亦可有效。若大病中忽然呃逆，用独参汤加乌梅之收敛元气为较好。若肾虚不能摄冲脉之气归原，以都气汤加牛膝主之。治法要因症施药，不可执一。

【出处】 西安市中医学会会员乔子厚（《中医验方秘方汇集》）。

【主治】 呃逆。

【方药】 楮实奴（俗名缘桥桃）七个　柿蒂七个

【用法】 水煎服。

【出处】 西安市中医进修班尚希正（《中医验方秘方汇集》）。

【主治】 呃逆不止。

【方药】 明雄黄一两　花酒四两

【制法】 将雄黄研极细末。

【用法】 事先将炉子燃起，将药末花酒同盛罐内，置于炉上，待罐内沸起，气上冲时，令患者鼻吸气，呃逆立止。

【出处】 孝感专署（《湖北验方集锦》第一集）。

【主治】 呃逆。

【方药】 乌梅一个　开口花椒七粒

【用法】 将以上二味药煎服。

【提示】 乌梅下气柔肝，花椒散寒下气，气下而呃逆自止。

【出处】 吴兴市王济痊（《浙江中医秘方验方集》第一辑）。

【主治】 呃逆不止。

【方药】 炒香附五钱　荔枝核五钱

【用法】 煅存性研，细末，米饮调下。

【出处】 瑞安县张凤贞（《浙江中医秘方验方集》第一辑）。

【主治】 呃逆不止。

【方药】 生姜汁半盅　蜂蜜四分之一盅

【用法】 调匀炖，热服。

【提示】 半盅、一盅指最小的酒盅，半盅相当于小半匙。

【出处】 吴兴县凌拙甚（《浙江中医秘方验方集》第一辑）。

【主治】 呃逆。
【方药】 茶叶一撮　生姜三片
【用法】 两物泡茶频饮。
【出处】 嵊县童然生（《浙江中医秘方验方集》第一辑）。

【主治】 胃气上冲，呃逆不止。
【方药】 赭石三钱　半夏三钱　生姜三钱
【用法】 水煎服。
【出处】 谷廉泉（《河南省中医秘方验方汇编》）。

【主治】 呕逆。
【方药】 潭木叶（生水田里）一两　柿蒂七个　红糖一两
【用法】 炒黑，用水煎服。
【出处】 开县中医代表会（《四川省医方采风录》第一辑）。

【主治】 呃逆。
【方药】 韭菜一钱　柿蒂二钱　黄牛乳少许
【制法】 前二味水煎，黄牛乳冲。
【用法】 内服。
【出处】 孝感专署（《湖北验方集锦》第一集）。

【主治】 呃逆。

【方药】 木香三钱　沉香三钱　陈皮三钱　砂仁三钱

【制法】 共为细末。

【用法】 分十次服之，用开水送下。

【出处】 陈书祥（《河南省中医秘方验方汇编》）。

【主治】 呃逆。

【方药】 白萝卜二寸长　贝母一钱　朱砂五分

【制法】 萝卜去头尾留中段，用刀挖开洞将贝母、朱砂研细末，放在萝卜中间，于锅内煮熟，把药取出，放于汁内煎之。

【用法】 一次服完。

【出处】 王现图（《河南省中医秘方验方汇编》）。

【主治】 呃逆。

【方药】 丁香一钱　柿蒂五只　青皮一钱　陈皮一钱半

【用法】 上药用水煎服。

【提示】 本方为丁香柿蒂散，见《大科准绳》，治寒呃有效。

【出处】 龙泉县叶正芬（《浙江中医秘方验方集》第一辑）。

【主治】 呃逆。

【方药】 韭菜汁三钱　牛乳一两　生姜汁一钱　梨汁二钱　藕汁二钱

【制法】 诸汁混合。

【用法】 每次开水冲服一汤匙。

【出处】 孝感专署（《湖北验方集锦》第一集）。

【主治】 呃逆。

【方药】 柿蒂五钱　丁香三钱　陈皮三钱　水竹茹三钱　生姜三片　牛鼻疙瘩（酒洗）

【用法】 用水煎服。

【出处】 大竹县黄世光（《四川省医方采风录》第一辑）。

【主治】 温病呃逆。

【方药】 生龟板四钱　阿胶三钱　淡菜五钱　鸡蛋黄一枚　竹茹一团　童便一杯

【制法】 上药煎汁，兑入童便。

【用法】 内服。

【出处】 监利县（《湖北验方集锦》第一集）。

【主治】 心下痞满，呃逆，嗳噫，呕吐涎沫。

【方药】 旋覆花（包煎）一钱半　代赭石（煅）三钱　党参三钱　半夏一钱半　甘草四分　大枣三枚

【用法】 水煎去渣，温服。

【治验】 ①贺某某，女，三十一岁，就诊期 1952 年 6 月，心下痞满，不欲食，时常嗳气，脉弦缓，苔黄薄而干，用本方除甘草、大枣，加麦冬二钱，薤白二钱，党参易参须，服药后，心下痞满除，食量增加，嗳气亦减，宗原方加白芍，嘱再服二剂痊愈。

②尹某某，女，四十三岁，就诊期1958年3月，患心下痞满，呕吐涎沫，全不纳食，用本方除甘草、大枣、党参，加橘皮二钱，茯苓三钱，未复诊。后来患者因他病来我所求诊，谈及仅一服即呕止痞减，再服痊愈。

③刘某某，男，三十六岁，就诊期1941年4月，身不热，口不渴，四肢厥冷，呃逆，脉沉迟，至数分明，舌质红润，苔白滑，用本方加附子三钱，干姜一钱半，母丁香一钱半，柿蒂一钱半，服前药二剂，肢温呃止，又用姜附六君子汤二剂而愈。

【提示】 本方功能降冲安胃，仲景用治伤寒表解而心下痞，噫气不除者。病例一二均宗此法运用，惟第三例有阳虚欲从上脱之势，作者以本方合四闻用，回阳之中兼降冲逆，标本同治，考虑周密，故能取得较好的疗效。

【出处】 永新县烟阁中医联合诊所罗儒亮（《锦方实验录》）。

【主治】 胃寒呃逆，饱胀不食。

【方药】 砂仁二钱　良姜二钱　川朴二钱　苍术二钱　青皮二钱　白蔻二钱　沉香二钱　枳实二钱　二丑二钱　吴萸二钱　甘草一钱　广木香二钱

【用法】 水煎，日服二次。

【出处】 赤城县程月桂（《十万金方》第二辑）。

【主治】 寒逆。

【方药】 陈皮三钱　杏仁二钱　清半夏三钱　丁香三钱　香附三钱　干姜二钱　枳实一钱半　蔻仁一钱半　油朴三钱　覆花一钱

赭石二钱

【用法】 水煎服。

【出处】 朱绍章（《河南省中医秘方验方汇编》）。

【主治】 呃逆。

【方药】 炒甘草钱半 云苓二钱 丁香五分 陈皮一钱半 防风二钱 半夏一钱半 柿蒂二个 炒粟米为引

【用法】 水煎服。

【出处】 曲天增（《河南省中医秘方验方汇编》）。

【主治】 呃逆。

【方药】 白芍八钱 煨玉蔻一钱 青皮五钱 云苓五钱 生巴叶四钱 甘草一钱 柿蒂七个为引

【用法】 水煎服。

【出处】 王述职（《河南省中医秘方验方汇编》）。

【主治】 呃逆、气短。

【方药】 茯苓三钱 半夏二钱半 陈皮一钱半 紫朴二钱 桔梗一钱半 枳壳二钱 黄芩一钱半 苏子二钱 油桂一钱 紫蔻米一钱半 砂仁一钱半 广木香（另冲）八分 上沉香（冲）一钱 炙草一钱半 生姜三片

【用法】 水煎。空心温服，日服两次。

【出处】 繁峙县郭允藩（《山西省中医验方秘方汇集》第二辑）。

【主治】 偏热性呃逆。

【方药】 加味安胃饮：陈皮二钱　麦芽三钱　木通一钱半　山楂肉三钱　泽泻二钱　黄芩二钱　石斛三钱　代赭石四钱　西党参四钱　旋覆花三钱　柿蒂七个

【用法】 水煎服。

【治验】 ①张柳成，男，四十岁，1958年10月间，久病后转呃逆，当地医治无效，来我院门诊治疗，粒米不进已七天。经服上方四剂，呃平食进，继以调补，痊愈回家。

②杨志良，男，四十二岁，1958年7月，患呃逆五日，昼夜不停，先经西医治疗无效，便结溲赤，脉细数。与上方二剂呃止，连服四剂，至今未发。

【出处】 吉安专区人民医院（《锦方实验录》）。

【主治】 呃逆。

【方药】 青皮一钱半　葶苈二钱　公丁二钱　云苓二钱　陈皮一钱半　柿蒂四钱　北细辛一钱　甘草一钱

【用法】 水煎服。

【出处】 江西兴国（《中医名方汇编》）。

【主治】 胆结石症。

【方药】 茯苓一钱　猪苓四钱　泽泻三钱　白术二钱　茵陈四钱　鸡内金三钱　桔梗一钱　黄芩一钱　郁金二钱　甘草一钱

【用法】 水煎服。

【提示】 三剂痛止，续服三剂痊愈。

【出处】 互助人民医院杨焕（《中医验方汇编》）。

【主治】 呃逆。

【方药】 栀子二钱　泽泄二钱　甘草一钱　瓜蒌皮二钱　柿蒂三个　藿香　猪苓　黄芩　赭石各一钱五分　砂仁一钱五分

【制法】 水煎。

【用法】 内服。

【出处】 大冶县（《湖北验方集锦》第一集）。

【主治】 不冷不热，嗳气或肝气上逆，胸部微胀不欲食。

【方药】 旋覆花（布包）二钱　生赭石六钱　党参三钱　法夏二钱　甘草二钱　红枣十枚　生姜一钱五分

【制法】 水煎。

【用法】 一日一剂，每剂分二次，早晚服下。

【出处】 孝感专署（《湖北验方集锦》第一集）。

【主治】 呃逆打膈忒。

【方药】 川贝三钱　当归三钱　大黄三钱　杏仁三钱　白芥子三钱　苏子二钱　清夏二钱　腹皮二钱　焦栀二钱　甘草二钱　酒芩二钱

【用法】 水煎服三次。

【禁忌】 孕妇忌服。

【出处】 长岭县郝玉春（《吉林省中医验方秘方汇编》第三辑）。

【主治】 逆气打膈忒（膈肌痉挛）。

【方药】 枳壳二钱　苏梗二钱　丁香二钱　青皮二钱　当归

二钱　焦查二钱　乌药二钱　白蔻二钱　半夏二钱　甘草二钱　瓜蒌四钱　茯苓四钱　沉香一钱五分　郁金一钱　木香一钱

【用法】 水煎服三次。

【禁忌】 孕妇忌服。

【加减】 属寒者加吴萸、热者加竹茹。

【出处】 (《吉林省中医验方秘方汇编》第三辑)。

【主治】 呃逆。

【方药】 针天突　鸠尾　足三里　太冲　合谷　气海等穴

【用法】 以上穴位，轮流针刺。

【出处】 孝感专署(《湖北验方集锦》第一集)。

【主治】 嗳气。

【方药】 生姜连皮一大块

【制法及用法】 黄泥包火煨，闻香气后取出，去泥切片，开水泡，当茶饮。

【出处】 新建县卫协分会熊惠生(《江西省中医验方秘方集》第三集)。

十、呕吐（反胃）

呕吐的主要表现为饮食、痰涎等胃内之物从胃中上涌，自口而出，多因胃失和降、胃气上逆所致，是内科常见病证，中医治疗有较好的疗效。

【主治】 呕吐。

【方名】 单方

【方药】 炉底土（伏龙肝）

【制法】 研面。

【用法】 水冲服。

【出处】 阳原县（《十万金方》第三辑）。

【主治】 翻食劳（反胃）。

【方药】 反刍牛津草（即黄牛反刍之咀嚼草）四两　大蓟根（野外湿阴地生长，大者为佳）二两　生萝卜汁二两

【制法】 将上二味煎后滤去渣，再用生萝卜捣汁，掺入药内，同煎五分钟后服用。

【治验】 梁茂愈之妻，住望城岗，每饮食后不到二十分钟，食物即从胃内翻出，胃部感微痛，肢体软弱，头晕，俗

名翻食劳，经服本方二三次后痊愈，至今未发。

【提示】 本方简便，似可供作治疗食道癌的实验。

【出处】 南昌市东湖区医院黄良谟（《锦方实验录》）。

【主治】 反胃呕吐。

【方名】 奇效散

【方药】 柿饼

【用法】 将柿饼烧为同灰存性，研末。每服二钱，黄酒送下，或开水亦可。

【出处】 定县蔡永成（《十万金方》第十二辑）。

【主治】 呕吐，完谷性的呕吐，食后必吐，吐出轻快。轻者连服三贴痊愈，重者大人增加五钱，三次服之。

【方药】 京半夏（用京制半夏内含有甘草煎过者佳）三钱

【制法】 共为细末。

【用法】 每服一钱，小儿一岁一分，姜汤送下。

【出处】 安国县高天佑（《十万金方》第十二辑）。

【主治】 呕吐。

【方药】 清半夏二两

【制法】 研为细末，冬季加姜汁，夏季加薄荷脑，用开水送下。

【出处】 刘鸣硕（《河南省中医秘方验方汇编》）。

【主治】 反胃呕吐，食不能入。

【方药】 牛反刍草（要牛在郊外吃草时咀嚼粉碎，带有口涎者方有效

力）约取二两

【用法】 焙干，不让焦枯，加生姜三片，煎服三四次，不要使病者知道。不呕吐时，再服补脾暖胃之药。

【出处】 隆回县中医（《湖南省中医单方验方》第二辑）。

【主治】 脾胃虚冷（恶心呕吐不止）。

【方药】 吴茱萸四钱

【用法】 水煎，食后服。

【出处】 昔阳李熙甫、汾阳李维旭（《山西省中医验方秘方汇集》第三辑）。

【主治】 脾胃虚冷（恶心呕吐不止）。

【方药】 大萝卜秧不拘多少

【用法】 捣汁饮之。

【出处】 昔阳李熙甫、汾阳李维旭（《山西省中医验方秘方汇集》第三辑）。

【主治】 呕吐，腹痛下利。

【方药】 小马蹄草一大株

【用法】 用水煎服。

【出处】 什邡中医代表会（《四川省医方采风录》第一辑）。

【主治】 呕吐不止。

【方药】 黄牛口内回嚼草

【制法及用法】 放新瓦上焙干研末，用开水冲，每服五钱有效。

【出处】 清江卫协分会江金贵（《江西省中医验方秘方集》第三集）。

【主治】 呃逆。

【方药】 刀豆子十枚

【制法及用法】 将上药烧灰存性，开水调服甚效。

【出处】 章藻辉（《崇仁县中医座谈录》第一辑）。

【主治】 呕吐反胃，清腹中邪热。

【方药】 石青苔（地柏）三钱

【制法】 研成细末。

【用法】 开水吞服，每次一钱。

【出处】 陈芳国（《贵州民间方药集》增订本）。

【主治】 反胃呕吐。

【方药】 生姜一大块

【制法及用法】 将生姜直切薄片，但勿切断，层层掺盐以线扎紧，外用草纸七层包之，水浸湿，慢火煨热取起，和米煎服立止。

【出处】 吉水县王勤益（《江西省中医验方秘方集》第三集）。

【主治】 呕吐。

【方药】 青菜梗咸菜一块

【制法】 撕细。

【用法】 含口中，其呕自止。

【出处】 魏思远（《中医采风录》第一集）。

【主治】 呕吐不止。

【方药】 半夏三钱

【用法】 用真蜂蜜炒半夏，水煎，分三次服。

【提示】 成人剂量，小儿酌减。

【禁忌】 孕妇不宜服。

【出处】 吴万载（《中医验方汇编》）。

【主治】 呕吐不止。

【方药】 年久陈壁石灰一铜钱大

【用法】 研末，开水冲，澄清服。

【出处】 长沙县大托乡中医段南生（《湖南省中医单方验方》第二辑）。

【主治】 呕吐不止。

【方药】 棉花子（炒焦研末）适量

【用法】 先将桐油煎沸，把棉子末放入调匀并用布包，乘热敷脐上。

【出处】 泸溪县小坡流向官鸿医生（《湖南省中医单方验方》第二辑）。

【主治】 呕吐。

【方药】 大贝母五分　法半夏三钱

【制法】 共研细面。

【用法】 大人每剂五分到一钱，小儿每剂三分至五分，姜汁为引。

【出处】 石专无极县牛长庚（《十万金方》第三辑）。

【主治】 倒食（饭后一小时后呕吐）。

【方药】 广白蔻三钱　揀砂仁三钱

【制法】 共为细面，分作七包。

【用法】 每服一包，水酒各半冲服。

【出处】 商专郭彩光（《河南省中医秘方验方汇编》续一）。

【主治】 夏季因受暑湿而发的呕吐。

【方药】 绿豆一把　灶心土（如红枣大）一块

【用法】 共研细末，用冷开水一碗，加入药末用筷搅匀，待药末沉淀后澄清去渣，将水徐徐饮下，呕吐立止。

【出处】 商都县韩瑞（《十万金方》第三辑）。

【主治】 一切呕吐。

【方名】 止吐散

【方药】 生赭石　清半夏各等分

【用法】 共为细末，大小每服四钱，小儿减半。

【出处】 清苑县曹占欧（《十万金方》第六辑）。

【主治】 食入即吐，以及反胃。

【方名】 二根汤

【方药】 鲜茅根　鲜芦根（断节）各二两

【用法】 清水煎汤，顿服。

【出处】 唐山市吴晓峰（《十万金方》第十二辑）。

【主治】 反胃，食入即吐。

【方药】 赤砂糖一斤　生姜一斤

【用法】 将上药共捣烂入瓶中，埋入土中七日，取出。每天早晚各服一汤匙，开水冲服。

【出处】 南靖县龙山公社谢可谐（《采风录》第一集）。

【主治】 呕吐，腹泄。

【方药】 辣蓼草一钱　胡荽菜二钱

【用法】 煎水，煮沸，再和明矾二分研末，兑入吞服。

【出处】 宁乡县中医（《湖南省中医单方验方》第一辑）。

【主治】 呕吐，腹泄。

【方药】 大蒜一斤　食盐（炒黄）半斤

【用法】 将大蒜捣烂放食盐中，以开水五斤对匀备用，每人每次服五至八毫升，日四次。

【出处】 治湖工地中医（《湖南省中医单方验方》第一辑）。

【主治】 急性呕吐腹痛，手足拘急。

【方药】 白矾　牙皂各二钱

【用法】 放瓦上烧熔，候冷研末，分二至三次，开水泡服。

【出处】 湘阴中医（《湖南省中医单方验方》第一辑）。

【主治】 呕吐不止。

【方药】 盐梅核三粒　胡椒三粒

【用法】 研末，姜汁兑服。

【出处】 湘阴县中医（《湖南省中医单方验方》第一辑）。

【主治】 虚寒性呕吐不止。

【方药】 公丁香五粒　生姜一块

【制法】 先将公丁香包在布内捶烂，再把生姜切开（不要破裂与切断）挖空，放入丁香末，然后合好，用竹签钉住，放木炭火上烧，以姜皮烧焦为度，取出备用。

【用法】 淬于开水中泡服。

【出处】 重庆市中医进修学校杨序茎（《四川省中医秘方验方》）。

【主治】 一般呕吐病。

【方药】 白胡椒　黄连各等分

【用法】 研为细末，每次开水冲服五分，日服3~4次。

【出处】 威远县中医研究组（《四川省中医秘方验方》）。

【主治】 发热呕吐。

【方药】 淡豆豉三钱　栀子二钱

【用法】 水煎服。

【出处】 柴修斋（《大荔县中医验方采风录》）。

【主治】 呕吐、反胃、转食。

【方药】 鲜姜（切碎捣烂）一斤 红糖一斤

【用法】 将二药装入磁坛内，封好口埋在房门坎底下，二十一天时取出。每次用量三至四钱，引用黄土坑内黄土七钱，白糖七钱，红姑娘七个，大萝卜七片，煎水送下，日服两次。

【出处】 孙海会（《吉林省中医验方秘方汇编》第三辑）。

【主治】 热性呕吐

【方药】 芦竹根一把 生姜一片

【制法】 浓煎。

【用法】 内服。

【出处】 辛克勋（《中医采风录》第一集）。

【主治】 发烧欲饮水，水入即吐者。

【方药】 黄连 生姜各二钱

【制法】 以开水一杯浓磨。

【用法】 内服。

【出处】 朱敬贤（《中医采风录》第一集）。

【主治】 呕吐酸水。

【方药】 黑山栀三钱 生姜汁半杯

【制法】 黑山栀水煎。
【用法】 内服，每服一次，兑生姜汁少许。
【出处】 梁既开（《中医采风录》第一集）。

【主治】 呕吐。
【方名】 丁香酒
【方药】 公丁香三钱 全蝎一钱 烧酒二两
【制法】 上二味，制酒内浸一宿。
【用法】 用筷子滴三滴，入口内咽下。
【出处】 石庄市胡东樵（《十万金方》第三辑）。

【主治】 呕吐。
【方药】 清半夏四钱 生姜六钱 云苓五钱
【制法】 用水二盅，煎至一杯。
【用法】 频频服之。
【出处】 赤城县邓佑汉（《十万金方》第三辑）。

【主治】 呕吐不止之症。
【方药】 鸡蛋二个 苏打一钱 薄荷冰五分
【制法】 将以上二药研细面，放于鸡蛋内用筷子搅匀。
【用法】 服用后呕吐即止。
【出处】 无极县谷学训（《十万金方》第三辑）。

【主治】 热毒攻心恶心，外因患疮疡症、毒气攻心者亦可用之。
【方药】 川黄连四钱 清半夏三钱 朱砂二钱

【制法】 先将黄连用水洗净晒干，三药共为细末。

【用法】 成人每次服三钱，凉开水送下。

【治验】 ①大沟坊子村霍老大，56岁，患肚痈症，热毒上壅而致恶心不止，经服此散，立觉神清逆止。②上临床村，李心正项后生对口疮毒气上攻，立用此药冲服，即时神清逆止，后经用本方屡用屡验。

【出处】 康保县马龙祥（《十万金方》第三辑）。

【主治】 呕吐酸水。

【方药】 陈石灰一钱　枯矾一钱　红糖五钱

【制法】 将陈石灰灼红，待凉后再与其他药共为细末。

【用法】 白开水冲服。

【出处】 峰峰矿区岗头乡马学华（《十万金方》第十二辑）。

【主治】 反胃呕吐，虚寒腹痛。

【方药】 木香五钱　紫蔻五钱　郁金五钱

【用法】 共为细面，每服一钱，姜水送服。

【出处】 延吉市孙秀峰（《吉林省中医验方秘方汇编》第三辑）。

【主治】 呕吐不止。

【方药】 吴茱萸五钱　木瓜五钱　百部少许

【制法】 水煎。

【用法】 温服。

【出处】 康保县曹琤（《十万金方》第六辑）。

【主治】 呃逆呕吐。

【方药】 生姜五钱　灶心土（如枣大）二块　柿蒂灯黄五个

【用法】 水煎服。

【治验】 胃气虚寒、气逆呕吐者，用之甚效。

【出处】 阜平县（《十万金方》第六辑）。

【主治】 呕吐、恶心、干呕。

【方药】 生姜二钱　清半夏二钱

【用法】 水煎服，即止。

【加减】 腰酸，加秦皮一钱半。

【出处】 峰峰矿区杨清兰（《十万金方》第十二辑）。

【主治】 呕吐苦水。

【方药】 法半夏五钱　云茯苓八钱　生姜五钱

【用法】 水煎服。

【治验】 患者黄某某，呕吐黄水，色如菜汁，日达五六痰盂。经服上方，一剂减轻，二剂呕止，再服香砂六君子汤二剂，痊愈出院。

【出处】 奉新县许伯熙（《锦方实验录》）。

【主治】 男妇反胃吐食。

【方药】 五灵脂四两　生硫黄二两　海螵蛸一两

【制法】 共为细末。

【用法】 每服三钱，早晚各服一剂，白水送下。

【出处】 安国县陈殿卿（《十万金方》第十二辑）。

【主治】 呕吐不止。

【方药】 炒吴萸一两　生姜一块　香葱十余根

【制法】 将上药共捣成饼，蒸热敷于腹脐上，约一小时久，吐即停止。

【出处】 陈逊谦（《崇仁县中医座谈录》第一辑）。

【主治】 呕泻。

【方药】 樟树叶梢七个　马兜藤叶七个　黄脊叶梢七个

【用法】 以手掌按碎，用冷水吞服。

【提示】 本方系民间救急方。

【出处】 江西东乡（《中医名方汇编》）。

【主治】 干呕不止。

【方药】 炮姜五钱　竹茹一两　灶心土一块

【制法】 先将灶心土化水，滤过煎药。

【用法】 温服。

【出处】 郧西县（《湖北验方集锦》第一集）。

【主治】 呕吐不止。

【方药】 旋覆花三钱　赭石三钱　竹茹三两

【制法】 用水二碗，煎至一碗。

【用法】 内服。

【出处】 监利县（《湖北验方集锦》第一集）。

【主治】 恶心呕吐。

【方药】 苍术一两　麦麸半斤　酒（或醋少许）适量

【制法】 苍术研末，拌麦麸炒黄，乘热洒酒（或醋）。

【用法】 令患者吸其热气，另取一部分，用布包在前胸重拭。

【出处】 孝感专署（《湖北验方集锦》第一集）。

【主治】 呕吐。

【方药】 鲜竹茹一把　精姜一块　糊米二勺

【制法】 水煎。

【用法】 内服。

【出处】 孝感专署（《湖北验方集锦》第一集）。

【主治】 体虚之人和孕娠呕吐。

【方药】 人参叶三钱　吴萸五分　生姜一片

【制法】 泡开水。

【用法】 作茶频饮。

【出处】 魏思远（《中医采风录》第一集）。

【主治】 吐泻，手足厥冷、肌肉消瘦者。

【方药】 乌梅四枚　洋参　黄连各二钱

【制法】 以水一碗浓煎。

【用法】 内服。

【出处】 唐济生（《中医采风录》第一集）。

【主治】 呕吐黄涎如蛋汁者。

【方药】 栀子　豆豉　黄连（用量按病情）

【制法】 水煎。

【用法】 内服。
【出处】 胡行扬（《中医采风录》第一集）。

【主治】 呕吐不止。
【方药】 人参二钱　白蔻二钱　丁香一钱　肉桂一钱
【用法】 水煎服。
【出处】 商都县王佩环（《十万金方》第三辑）。

【主治】 感受湿暑，呕泻不止。
【方药】 滑石一两　粉草三钱　生赭石五钱　干姜一钱
【制法】 共研细面。
【用法】 每付一钱至二钱，白水送下，有特效。
【出处】 张专西红庙乡王子祥（《十万金方》第三辑）。

【主治】 受寒呕吐不止。
【方名】 吴茱萸汤
【方药】 吴茱萸三钱　台参三钱　大枣五钱　生姜二钱
【用法】 水煎温服。
【出处】 完满县田耑（《十万金方》第六辑）。

【主治】 反胃。
【方药】 阿魏三钱　杏仁（去皮尖）七个　枳壳二个　烧酒四两
【制法】 将阿魏、杏仁捣为细末，装在枳壳内合住，用线捆紧，放砂锅内煮四小时，将枳壳取出，瓦上焙干，再装在两个筒瓦内捆住，将筒瓦两头用面块封好，火上焙黄为度，共为细末。

【用法】 每晨服一次，每次服一钱，黄酒冲下。

【出处】 洛专李宗道（《河南省中医秘方验方汇编》续一）。

【主治】 反胃

【方药】 陈皮四两 柿蒂一两 芦荟五分 朱砂三分

【用法】 水煎服。

【出处】 青海石油职工医院武兴亚（《中医验方汇编》）。

【主治】 反胃食入即吐，或朝食暮吐。

【方药】 党参三钱 公丁香一钱 炙草二钱 生姜三片

【用法】 水一碗煎五分，温服。

【出处】 长泰县红旗社张韶华（《采风录》第一集）。

【主治】 呕吐不止，茶水不入。

【方药】 炒食盐三分 早米一撮 煨生姜三钱 蜂蜜三钱

【用法】 将盐和米炒至黄色，候冷却后，再和煨生姜放在一起煎，煎好去渣，再将蜂蜜冲入药汁，冷后即可服。初次可服少些，以后逐渐增加。

【出处】 上杭县黄福安（《福建省中医验方》第三集）。

【主治】 呕吐腹泻。

【方药】 吴茱萸二钱 黄连 公丁香各一钱半 白蔻八分

【用法】 水煎服。

【加减】 咽干，加竹茹、芦笋各四钱。

【出处】 南平县陈义勇（《福建省中医验方》第四集）。

【主治】 呕吐不止。

【方药】 红枣五枚　生姜一坨（如拇指大）　砂仁一钱　竹茹一钱

【用法】 将砂仁末和生姜捣如泥，红枣去核，将药纳入红枣内，放火上煨黄，取竹茹同煎服。

【出处】 宁乡县中医朱润涵（《湖南省中医单方验方》第一辑）。

【主治】 呕吐，泻腹。

【方药】 党参四钱　藿香三钱　光连　干姜各二钱

【制法】 水煎。

【用法】 内服。

【出处】 许开庭（《中医采风录》第一集）。

【主治】 呕吐。

【方药】 藿香五分　大白一钱　细茶叶二钱　糯米一勺

【制法】 糯米炒黄和药，水煎。

【用法】 内服。

【出处】 大冶县（《湖北验方集锦》第一集）。

【主治】 呕吐不止。

【方药】 食盐五分　煨姜三钱　蜜糖三钱　米（炒）一撮

【制法】 水煎，兑蜜糖。

【用法】 内服。

【出处】 监利县（《湖北验方集锦》第一集）。

【主治】 酒病腹部剧痛、呕吐不止、大小便不通，已服硝黄等药不下者。

【方药】 芫花（醋炒）三钱　母丁香三粒　广香一钱　大枣六枚

【用法】 研末为丸，如梧子大，分两次服，便通后即停服。

【出处】 温江县黄济川（《四川省医方采风录》第一辑）。

【主治】 伤暑，呕泻身热者。

【方药】 六和汤加黄连、香薷

【制法】 水煎。

【用法】 内服。

【出处】 顾骏发（《中医采风录》第一集）。

【主治】 吐逆水，药不能入口。

【方药】 旋覆花（布包）三钱　代赭石（研）　法半夏三钱　黄连（姜炒）一钱　生姜汁（兑服）四五滴

【用法】 用水煎服。每次服小半茶盅，每20分钟服一次，接连服四五次便不吐了。然后再四小时服一次，每次服一茶盅。

【出处】 大竹县李子犹（《四川省医方采风录》第一辑）。

【主治】 顽固性呕吐，一般胃肠障碍所致之呕吐，干呕撞心，心乱，对羊毛疔也有效。

【方名】 朱砂散

【方药】 朱砂一两 清半夏一两半 丁香二钱 甘草二钱 洋冰片二分

【制法】 共为极细末。

【用法】 每服一钱，清姜汤水送下，胃寒者用姜汁一酒盅，兑开水送下，小儿酌减。

【出处】 景县张风池（《十万金方》第十二辑）。

【主治】 呕吐腹泻。

【方药】 生扁豆三钱 川朴一钱五分 香薷三钱 飞滑石五钱 香连丸二钱（另包，分作二次服）

【用法】 水煎服。

【出处】 仙游县枫亭联合诊所杨春波（《福建省中医验方》第四集）。

【主治】 呕吐

【方药】 甘遂一钱 茯苓 石膏各四钱 广火根三钱 半夏二钱

【制法】 水煎。

【用法】 内服。

【禁忌】 孕妇忌服。

【出处】 许开廷（《中医采风录》第一集）。

【主治】 夏月饮食不调，以致呕吐不止。

【方药】 藿香二钱 姜半夏二钱 焦白术一钱半 厚朴一钱 甘草一钱

【用法】 水煎服。

【出处】 西宁铁路医院辛虞生（《中医验方汇编》）。

【主治】 吞酸。

【方药】 吴茱萸三钱 黄连二钱 川朴二钱 牡蛎（研）二钱 党参二钱 海螵蛸二钱 法夏二钱 大枣三枚

【用法】 用水二茶杯半，煎至一茶杯，清出去渣，饭前温服。隔三小时，渣再煎服。

【禁忌】 孕妇忌服。

【出处】 （《青海中医验方汇编》）。

【主治】 暑天呕泻。

【方药】 棕树根 葛藤 水竹茹 炮姜 芦茅笋尖各等分

【用法】 棕树根、蔓藤用黄泥包紧烧存性，水竹茹、炮姜、芦茅笋尖另煎汤，冲上药服。

【出处】 慈利县中医朱允章（《湖南省中医单方验方》第一辑）。

【主治】 呕吐不止。

【方药】 牙皂少许 水竹茹 灶心土 老米 藿香

【用法】 用水煎服。

【出处】 岳池县李裕光（《四川省医方采风录》第一

辑）。

【主治】 呕逆症。

【方药】 竹茹（姜汁炒）二钱 橘皮一钱半 党参二钱 粉草一钱半 枣（去核）二枚

【用法】 水煎温服。

【出处】 孙林卿（《大荔县中医验方采风录》）。

【主治】 食入即吐，上焦有热。

【方药】 潞党参三钱 川连一钱半 酒芩三钱 干姜一钱 大枣三枚

【制法】 水煎。

【用法】 内服。

【出处】 郧西县（《湖北验方集锦》第一集）。

【主治】 呕吐腹泻、肢冷烦渴者。

【方药】 党参四钱 白术 石膏各三钱 炮姜 炙草各二钱

【制法】 水煎。

【用法】 内服。

【出处】 辛克勋（《中医采风录》第一集）。

【主治】 胃气不利，食物停结、腹痛呕吐。

【方名】 平胃散

【方药】 苍术四钱 川朴四钱 砂仁二钱 陈皮三钱 半夏二钱 槟榔二钱

【用法】 共为细末，每次用八分，姜汤送下，早晚服用。

【治验】 患者南午村乡后车营村张鸿涛，年二十余岁，于晚饭后突然发现恶心呕吐，腹疼，经服本方后，一切病症停止。连续服两次，疾病痊愈。

【出处】 衡水县李文轩（《十万金方》第六辑）。

【主治】 胃虚吐食。

【方药】 橘红三钱　半夏四钱　茯苓三钱　枳实二钱　竹茹三钱　生姜三钱

【用法】 水煎服。

【治验】 杨某某，男，36岁，农民。食后即吐，均已三月之久，体质消瘦，脉象虚而无力。多方治疗无效。经用本方二剂吐止，三剂痊愈，至今未犯。

【出处】 阳城石可岗（《山西省中医验方秘方汇集》第三辑）。

【主治】 呕吐（属热者）。

【方药】 党参　黄芩　半夏各三钱　黄连　生姜各二钱　甘草一钱

【用法】 水煎服。

【出处】 顾俊发（《中医采风录》第一集）。

【主治】 呕吐。

【方药】 砂仁　丁香　黄连各五分　胡椒三粒　姜汁半杯　白糖（兑服）五钱

【制法】 水煎。

【加减】 有热去胡椒，无热去黄连。

【用法】 内服。

【出处】 邵金全（《中医采风录》第一集）。

【主治】 食物不下，呕吐翻胃。

【方药】 旋覆花四钱　代赭石八钱　姜半夏二钱　干姜一钱半　丁香一钱半　橘红三钱　寸冬二钱　人参二钱　甘草一钱

【用法】 引用枣水煎服。

【加减】 如烧心吞酸者，加吴茱萸一钱，川黄连二钱半。

【出处】 无极县刘汗卿（《十万金方》第三辑）。

【主治】 胸口痛，呕黄水。

【方药】 北条参四钱　当归三钱　台乌三钱　丁香四钱　蔻仁四钱　白芍三钱　苏红四钱　菖蒲三钱　厚朴二钱　姜汁柿蒂引

【制法】 水煎。

【用法】 一次服。

【出处】 孝感专署（《湖北验方集锦》第一集）。

【主治】 凡恶心，有时一二日吐食或吐涎沫等。

【方名】 加味半夏干姜汤

【方药】 苍术三钱　厚朴三钱　吴萸三钱　半夏三钱　干姜一钱　陈皮三钱　白蔻二钱　云苓四钱　粉草一钱　引用姜汁五滴

【用法】 水煎服。

【出处】 张家口市孙华堂（《十万金方》第十二辑）。

【主治】 反胃不食，食后呕吐。

【方药】 人参一钱 茯苓四钱 竹茹五钱 大黄三钱 陈皮二钱 干姜三钱 泽泻二钱 炙草二钱 桂心二钱

【用法】 水煎服。

【加减】 已利者，去大黄。

【禁忌】 孕妇忌服。

【出处】 大通中医进修班郑永乾（《中医验方汇编》）。

【主治】 呕吐反胃。

【方药】 丁香二钱 柿蒂三钱 竹茹三钱 砂仁三钱 人参三钱 茯苓三钱 木香一钱 松香三钱 甘草一钱 香附三钱 紫朴三钱 橘红三钱 藿香三钱 肉蔻三钱 半夏二钱 干姜少许

【制法】 水煎。

【用法】 温服。

【出处】 怀安县（《十万金方》第六辑）。

【主治】 呕吐烦渴，不能饮食，日久不愈。

【方药】 生赭石二两 清半夏，天冬三钱 生山药六钱 白芍三钱 党参五钱 竹茹三钱 沙参三钱 天花粉三钱

【用法】 生姜二片为引，水煎服。

【出处】 平乡县尹寿山（《十万金方》第六辑）。

【主治】 胃热呕吐。

【方名】 竹茹汤加味

【方药】 竹茹三钱 枳壳二钱 厚朴二钱 广皮三钱 清夏三钱 石膏三钱 知母二钱 赭石三钱 大枣三个 木通二钱 甘

草二钱　寸冬三钱

【用法】 水煎二次，分服。

【出处】 完满县代杰三（《十万金方》第六辑）。

【主治】 呕吐腹泻。

【方药】 藿香六钱　香茹六钱　炒扁豆六钱　茯苓六钱　黄芩六钱　川朴四钱　木瓜二钱　陈皮四钱

【用法】 研为细末，每次服五分至一钱，开水送服。

【出处】 龙溪县龙溪专区医院包国材（《福建省中医验方》第四集）。

【主治】 呕吐反胃，脉象细缓，体弱。

【方药】 东参一钱半　焦白术二钱　砂仁二钱　藿香二钱　半夏二钱　云苓二钱　广皮二钱　炒山药二钱　莲子二钱　当归二钱　乌梅二个　白扁豆二钱　黄连（生姜炒）五钱为引

【用法】 用水三杯煎至两杯，分二次空心服。

【禁忌】 生冷、油腻。

【出处】 介休县王锡普（《山西省中医验方秘方汇集》第二辑）。

【主治】 热证呕吐，舌红，苔黄或黑，脉数而有力者。

【方药】 黄连温胆汤：黄连八分　半夏一钱半　橘皮一钱半　赤苓三钱　枳实一钱半　竹茹一钱半　甘草五分

【用法】 水煎服。

【治验】 ①罗某某，女，十九岁，1948 年 7 月就诊。主诉发热不退，呕吐不已，前医曾用藿香正气及香砂二陈等方，入口即吐，余观其舌红苔黄，脉数有力，即用本方除甘草，服后并未吐出，反觉心中舒适，发热亦退，苔色转淡，黑苔变薄，惟小便短赤，依原方加滑石二钱即愈。

②刘某某，男，3岁，就诊期1948年7月。患发热，自汗，烦渴，唇红舌赤，苔黄溺少，脉弦而数。本方除甘草加厚朴一钱，滑石一钱半，服一剂即呕止，服热退而愈。

【提示】 两案均当盛暑之时，呕吐而小便不利，可知其热中湿，并非纯热伤津。故用本方去甘草之缓中加黄连清降，正欲其清热而不碍湿耳。

【出处】 永新烟阁联合诊所罗儒亮（《锦方实验录》）。

【主治】 朝食暮吐。

【方药】 熟地一两　丹皮一钱半　肉桂一钱　枣皮五钱　云苓二钱半　泽泻一钱半　薄附片一钱半　毛条三钱半

【用法】 煎二次，先后分服（饭前服）。

【出处】 陈水保（《崇仁县中医座谈录》第一辑）。

【主治】 心腹胀满，呕吐。

【方药】 当归一钱半　白术　枳壳　陈皮　拣砂仁　桔梗　黄芩　甘草各一钱

【用法】 生姜引，水煎服。

【出处】 王慰初（《大荔县中医验方采风录》）。

【主治】 胃热呕吐。

【方药】 藿香三钱　白术（土炒）三钱　茯苓三钱　陈皮二钱　栀子二钱　黄芩一钱　砂仁一钱半　枇杷叶（炙）二钱　甘草一钱半

【用法】 水煎服。

【出处】 刘光胜（《山西省中医验方秘方汇集》第二辑）。

【主治】 脾胃虚弱、呕吐。

【方药】 人参　白术　干姜　附子　木香　槟榔　半夏　甘草　丁香　豆蔻　麦芽　神曲各等分

【用法】 水煎服。

【禁忌】 孕妇忌服。

【出处】 青海石油职工医院武兴亚（《中医验方汇编》）。

【主治】 呃逆。

【方药】 旋覆花三钱　代赭石二钱　半夏二钱　党参二钱　竹茹三钱　黄连一钱半

【加减】 便秘，加入承气汤。

【用法】 水煎温服。

【出处】 邢玉堂（《大荔县中医验方采风录》）。

【主治】 隔食反胃。

【方药】 川朴二钱　枳实一钱半　白术一钱半　川军三钱　广皮一钱半　丁香一钱　霍香二钱　木香一钱　砂仁二钱　神曲二钱　麦芽一钱半　甘草一钱　生姜引

【用法】 水煎温服。

【出处】 康治伯（《大荔县中医验方采风录》）。

【主治】 肺热呕吐。

【方药】 陈皮三钱 半夏二钱 麦冬三钱 竹茹三钱 枇杷叶三钱 赭石四钱 甘草二钱

【制法】 水煎。

【用法】 内服。

【出处】 监利县（《湖北验方集锦》第一集）。

【主治】 呕吐，反胃，食噎，便秘。

【方药】 赭石五钱 半夏三钱 沙参五钱 旋覆花三钱 砂仁一钱半 建曲三钱 石膏五钱 陈皮三钱 广大白三钱 甘草二钱 麦冬三钱

【制法】 水煎。

【用法】 内服。

【提示】 旋覆花用布帛另包好，否则花蕊绒毛刺激咽喉，令人咳嗽。

【出处】 郧西县（《湖北验方集锦》第一集）。

【主治】 朝食暮吐，上焦虚寒。

【方药】 半夏三钱 干姜片三钱 公丁一钱 川椒五分 白术八钱 茯苓四钱 潞党参二钱 荜茇一钱半 广皮二钱 炙草三钱

【制法】 水煎。

【用法】 当茶服之。

【出处】 郧西县（《湖北验方集锦》第一集）。

【主治】 反胃。

【方药】 红糖四两 芝麻四两 核桃仁四两 五谷虫（炒研末）一钱 蜂蜜四两 鲜姜（炒去汁去皮）一两

【制法】 将芝麻、鲜姜、核桃仁捣烂加五谷虫面合匀，用红糖、蜂蜜拌如泥。

【提示】 炮制药时不用铜铁器，甚至饮食方面用砂锅最宜。

【用法】 日三服，每在饭前服三钱，服至痊愈为止。

【出处】 定县唐金泰（《十万金方》第十二辑）。

【主治】 回食病兼胃病呕吐。

【方药】 桂附理中汤加于术四钱 石斛二钱

【用法】 用水煎服。服药一次，加巴蕉油七滴。

【出处】 北川县中医代表会（《四川省医方采风录》第一辑）。

【主治】 食入即吐。

【方药】 党参三钱 柿蒂一钱 伏龙肝二钱 神曲三钱 山楂三钱 麦芽二钱 槟榔一钱五分 砂仁二钱 藿香二钱 陈皮二钱 煨姜（烧熟）二钱 竹茹三钱 大枣三个

【用法】 水煎服。

【出处】 峰峰李文昌（《十万金方》第十二辑）。

【主治】 呕吐。

【方药】 怀山 半夏 茯苓 焦栀 红梅 白术 苏梗 伏龙肝

【制法】 以伏龙肝澄水，水煎药。

【用法】 内服（缓缓咽下）。

【加减】 属寒者，加姜，去栀。

【出处】 王心一（《中医采风录》第一集）。

【主治】 男女老幼，噎嗝反胃，呕吐吞酸，五积六聚，一切实证（三世祖传）。

【方药】 沉香四钱 檀香三钱 木香三钱 丁香四钱 火香四钱 当归四钱 赤芍三钱 三棱三钱 莪术三钱 灵旨三钱 槟榔三钱 干漆三钱 元胡三钱 干姜三钱 建曲六钱 焦楂三钱 麦芽四钱 莱菔子六钱 腹毛五钱 吴萸二钱 牛膝三钱 红曲一两 川军十二两 芒硝六钱 紫蔻五钱 胡黄连五钱 肉桂三钱 枳实四钱 粉草三钱 二丑一两二钱 硇砂二钱

【制法】 以上诸药共为细面，水泛为小丸。

【用法】 成人每服二钱，小孩五至七分，食后服。

【禁忌】 醋、腥一日，孕妇忌用。

【治验】 此药在经常应用无不应验，特此介绍供同道试用。

【出处】 安国城关镇医院李巽明（《祁州中医验方集锦》第一辑）。

【主治】 防止服药呕吐。

【方法】 将病人双手脉搏处紧握，颈部热敷，待药服下后，约五分钟至十分钟，方可放松，并除去热敷。

【出处】 吴保罗（《中医验方交流集》）。